*Chère lectrice,*

Annonciateurs de soleil et de détente, vos romans Horizon de ce mois de juin sont placés sous le signe de la joie de vivre. Vous pourrez donc les glisser sans crainte dans votre valise… si vous avez la chance de partir bientôt en vacances !

Dans *La famille idéale* (n° 2115), vous verrez qu'en l'espace de quelques jours seulement, Emily trouve à la fois le grand amour de sa vie et la famille dont elle a toujours rêvé… Tout comme Sophie, dont le cœur fond de tendresse pour la petite Hailey, un nourrisson d'un mois…, et pour son papa, Michael (*Le bébé du hasard,* n° 2116). Ali, quant à elle, sent une étrange émotion l'envahir quand elle apprend que Luke, son amour de jeunesse, est de retour après de longues années d'absence dans leur ville natale (*Au jeu de l'amour,* n° 2117). Enfin, dans *Rêves de bonheur* (n° 2118), vous verrez qu'après s'être enlisée dans le mensonge, il est très difficile à Meg d'avouer à Trey la vérité et de prendre le risque de le décevoir, d'autant qu'elle est tombée amoureuse de lui dès le premier regard…

Très b le collection

# Rêves de bonheur

**ROXANN DELANEY**

# Rêves de bonheur

**COLLECTION HORIZON**

*éditions* **Harlequin**

*Cet ouvrage a été publié en langue anglaise*
*sous le titre :*
THE TRUTH ABOUT PLAIN JANE

*Traduction française de*
MARIE VILLANI


HARLEQUIN®

est une marque déposée du Groupe Harlequin
et Horizon® est une marque déposée d'Harlequin S.A.

*Toute représentation ou reproduction, par quelque procédé que ce soit, constituerait*
*une contrefaçon sanctionnée par les articles 425 et suivants du Code pénal.*
© 2004, Roxann Farmer. © 2007, Traduction française : Harlequin S.A.
83-85, boulevard Vincent-Auriol, 75013 PARIS — Tél. : 01 42 16 63 63
Service Lectrices — Tél. : 01 45 82 47 47
ISBN 978-2-2801-4535-0 — ISSN 0993-4456

# 1.

Affalé dans le vieux fauteuil de cuir du bureau, Trey Brannigan se passa avec lassitude une main sur le visage.

Tous les invités du Ranch-hôtel *Triple B* étaient enfin installés dans leurs bungalows respectifs, à l'exception d'un seul, et il aspirait à un peu de tranquillité. Mais la journée était loin d'être terminée, et des tas de choses pouvaient encore tourner de travers. Il ne pourrait malheureusement pas se détendre tant qu'il n'aurait pas dûment accueilli le dernier de ses clients de la semaine.

C'est alors qu'il aperçut par la fenêtre une vieille Mustang qui remontait l'allée.

S'extirpant du fauteuil, il prit la direction du parking, où s'offrit à sa vue, devant la portière ouverte de l'antique véhicule, un postérieur recouvert de tissu à fleurs.

Il esquissa un sourire. Il aurait dû deviner que le retardataire était une femme ! Les femmes avaient entre autres dons celui d'être invariablement en retard, il l'avait souvent vérifié. En outre, le goût de celle-là en matière d'habillement laissait beaucoup à désirer.

Des fleurs orange et vert fluo se trémoussaient devant lui tandis que la conductrice bataillait avec quelque chose à l'arrière de l'habitacle. La vue aurait pu être alléchante, sans ces aveuglantes couleurs...

— 'Soir, m'zelle.

Surprise, la nouvelle arrivée se cogna la tête contre l'encadrement de la portière puis, se frottant le crâne au travers ses courtes boucles châtain clair, recula avec précaution et se retourna.

Trey releva un premier coin de bouche en une ébauche de sourire, mais ce sourire se figea à la seconde où son regard entra en collision avec celui de l'inconnue.

Derrière les larges verres de ses lunettes démodées étincelaient des yeux aussi verts que l'herbe de printemps, frangés d'immenses cils bruns.

La bouche subitement sèche, Trey n'aurait su

dire combien de temps il demeura là à en fixer les profondeurs émeraudes.

Un bruit sourd dans la poussière, à ses pieds, l'arracha à sa transe et, abaissant les yeux, il avisa devant ses bottes un sac en Nylon plein à craquer.

Il se pencha pour le ramasser.

— Laissez-moi…

— Non, protesta-t-elle au même moment.

Comme elle se penchait à son tour, leurs têtes se heurtèrent.

Le choc ramena définitivement Trey à la réalité, et il inspira profondément, soulagé d'avoir rompu le contact avec l'hypnotique regard. Une fraîche et envoûtante fragrance de fleurs d'été flotta alors jusqu'à lui. Toujours penché, il empoigna le sac, recula d'un pas puis se redressa pour faire de nouveau face à l'inconnue.

Celle-ci, de ses doigts délicats et un rien tremblants, remontait la monture de ses lunettes sur son nez.

— Je… je suis navrée, vraiment.

— Y a pas de mal, répondit-il, attentif à ne pas la regarder directement dans les yeux.

Puis il s'engouffra à l'intérieur de la voiture

afin de récupérer sur la banquette arrière la valise et le vanity qui s'y trouvaient.

— Vous devez être Mme Chastain ? lança-t-il par-dessus son épaule.

— Oui. La serrure de mon coffre est bloquée, s'excusa-t-elle, avant de reculer précipitamment comme il déposait les deux bagages à ses pieds.

Il se contenta de hocher la tête, toujours sans se risquer à affronter l'uppercut de son regard, puis il esquissa un geste en direction des bungalows.

— Vous êtes au numéro quatre.

— Ah, euh… merci.

Le sac en Nylon sous son bras, il empoigna la valise d'une main, le vanity de l'autre, et la précéda.

Elle le rattrapa pour marcher à son côté, et il lui jeta un bref coup d'œil.

Difficile de deviner quoi que ce soit sous cette tenue bigarrée. Informe, la jupe fleurie lui descendait presque jusqu'aux chevilles, et même ces dernières étaient dissimulées sous des socquettes, orange fluo elles aussi ! Quant au T-shirt jaune, tout aussi large que la jupe, il ne suggérait pas la moindre courbe féminine non plus. Ce qui, en ce qui le concernait, était tout aussi bien.

Sous la véranda du bungalow, il déposa un instant la valise et actionna la poignée de la porte.

— Le M, c'est pour quoi ? demanda-t-il.

— Euh, Margaret.

Il s'effaça pour la laisser entrer.

— Vos amis vous appellent-ils Margie ?

Son petit rire de gorge provoqua en lui d'étranges ondes de choc comme elle passait devant lui. Il voulut déglutir et s'en découvrit incapable.

— Non, plutôt Meg, répondit-elle.

Trey parvint enfin à s'éclaircir la voix. N'ayant toutefois aucune repartie à l'esprit, il déposa les bagages sur le sol puis regarda Meg inspecter l'intérieur, intrigué par sa manière gracieuse de se mouvoir, en dépit de ses vêtements informes.

— Très pittoresque, commenta-t-elle depuis l'autre extrémité de la pièce.

Soucieux de coller à l'image du cow-boy que la plupart des touristes s'attendaient à trouver dans un ranch texan, il effleura le rebord de son Stetson puis répondit avec une intonation exagérément traînante :

— Heureux qu'ça vous plaise, m'zelle. Mais

avant d'vous poser, feriez mieux d'aller vous dégourdir les jambes en direction du chariot-cantine : le dîner va pas tarder à être servi.

Elle arqua joliment un sourcil.

— Et pour rien au monde je ne voudrais rater ça, n'est-ce pas ?

Evitant son regard, mais les yeux toujours rivés à son visage, Trey s'avisa qu'elle avait un teint sans défaut, qui ne correspondait pas, non plus que ses fascinants yeux verts, à la nuance sans éclat de sa chevelure. Quant à ses lèvres pleines, incurvées en un léger sourire... L'idée le traversa tout à coup que goûter à ces lèvres-là ne serait pas du tout désagréable.

Impulsion saugrenue qui fit s'accélérer son pouls.

Il recula d'un pas et ôta son chapeau, dont il se mit à triturer le rebord.

— Eh bien, je vous laisse. Si vous avez besoin de quoi que ce soit...

— Oui ? questionna-t-elle d'une voix légèrement voilée qui l'affola encore davantage.

— Demandez à un des gars, s'empressa-t-il de conclure, avant d'enfoncer de nouveau son Stetson sur sa tête.

Puis il pivota, descendit les quelques marches

sur des pieds étrangement réticents à coopérer et prit la direction de la grange.

Nom d'un chien ! Que lui arrivait-il ?

Trey Brannigan, à court de tchatche ? L'idée était encore plus bête qu'un veau à peine né. Même Dev et Chace, ses frères, n'avaient jamais réussi à le faire taire ! Ce dont il avait besoin, c'était d'un bon whisky. Et il ne s'en priverait pas, dès qu'il en aurait terminé avec le bétail, ne serait-ce que pour se remettre les idées en place.

Parce qu'il n'était pas homme à se laisser déstabiliser par une femme, ça non. En trente et un ans de vie, ce n'était jamais arrivé. A l'exception d'une unique fois, une erreur qui ne se renouvellerait pas.

Bon sang, quelle mouche l'avait donc piqué ?

Stupéfaite par ce départ précipité, Meg s'approcha de la porte restée ouverte.

Miséricorde ! Ce cow-boy se mouvait comme si chacune de ses articulations était lubrifiée, ses hanches pivotant à chaque pas ! Jamais elle ne pourrait s'ôter cette vision de la tête !

S'arrachant à sa contemplation, elle claqua la porte puis s'éventa de la main.

Même dans cette pièce climatisée, une singulière chaleur s'ajoutait à celle de son étouffant trajet. Parviendrait-elle jamais à se rafraîchir ?

Collée à son front, une boucle faisait suinter un filet de sueur jusque dans son cou. Elle tenta de souffler dessus pour la décoller, puis la repoussa d'un revers de main, sans plus de succès car elle retomba aussitôt. Alors, exaspérée, elle empoigna la perruque et l'ôta. Ses cheveux se déversèrent sur ses épaules, moites de la transpiration héritée de deux jours et demi de conduite.

« Ce sont les hommes qui transpirent, pas les femmes », entendait-elle encore déclarer tante Dee.

Depuis près de vingt-sept ans qu'elle les entendait, les sages conseils et les pittoresques dictons de sa tante ne manquaient jamais de la faire sourire, mais là, elle ne put s'empêcher de marmonner.

— Le moyen de ne pas transpirer sans climatisation, dans la chaleur texane !

Si tout n'avait pas été décidé à la dernière minute, elle aurait plutôt pris l'avion. Mais bon, malgré deux heures de retard, elle était finalement parvenue au Ranch-Hôtel *Triple B.*

Après avoir jeté ses fausses lunettes sur le lit, elle localisa la douche et profita quelques brefs instants de son jet apaisant.

Tandis que l'eau délassait ses muscles crispés, l'image du cow-boy de l'accueil resurgit dans son esprit. Ces santiags éraflées et ce jean défraîchi autour de jambes puissamment musclées, ces larges, solides épaules sous la chemise en chambray, ces traits hâlés par le grand air et le soleil, et enfin, ce limpide regard bleu l'avaient littéralement privée de souffle.

Un soupir échappé de sa gorge résonna entre les parois de la cabine de douche.

A quoi bon fantasmer ne serait-ce qu'une seconde sur un tel spécimen de pure virilité ?

Rafraîchie et vêtue, elle remit perruque et lunettes, puis inspecta son reflet dans le miroir avec une moue satisfaite.

Personne ne prêterait la moindre attention à une insignifiante touriste sans aucune connaissance des ranchs. Et donc, aucune de ses questions n'étonnerait. Et maintenant, il s'agissait de dénicher ce Bufford Brannigan ! décida-t-elle en sortant dans la clarté déclinante de la fin d'après-midi.

— Feriez mieux de vous dépêcher, sinon il ne vous restera rien à manger ! lança derrière elle une voix à l'accent typiquement traînant.

Des palpitations dans l'estomac, elle pivota, et vit son cow-boy venir vers elle.

*Son* cow-boy ? se morigéna-t-elle en silence. Au vu de sa singulière réaction à son égard, mieux valait s'enquérir de Bufford Brannigan auprès de quelqu'un d'autre ! Ce serait en effet plus sage de garder ses distances avec le cow-boy en question. Elle n'était pas là pour flirter, mais pour une mission précise.

A quelques pas de là, plusieurs personnes se pressaient autour d'une sorte de chariot de pionnier, dont s'échappait un délicieux fumet de barbecue qui lui fit gargouiller l'estomac. Mais à peine eut-elle le temps de faire un pas dans cette direction que le cow-boy se planta devant elle.

— Affamée, mam'zelle ?

Etait-il bien réel ? s'interrogea-t-elle malgré elle.

L'endroit était censé être un véritable ranch, mais qui sait ? Peut-être que ce beau gosse, avec ses superbes cheveux bruns sous ce vieux Stetson, n'était qu'une importation de la côte Est ? Ce ne serait pas la première fois que des vacanciers venus goûter au pittoresque d'un ranch prétendument authentique seraient abusés.

— L'arôme est délicieux, observa-t-elle. Dînerez-vous avec nous ? questionna-t-elle ensuite avec l'espoir qu'il réponde par la négative.

— Plus tard, peut-être.

Il abaissa les yeux sur une fillette d'environ huit ans qui s'était matérialisée à côté de lui et le tiraillait par la manche.

— 'Soir, petite.

— T'es un vrai cow-boy ? questionna la fillette, ses grands yeux bruns écarquillés.

— Un vrai de vrai.

— Ah. T'es à cheval toute la journée, alors ?

— Pas toute la journée, rectifia-t-il avec un sourire. Il y a beaucoup à faire dans un ranch en dehors de ça.

— Comme quoi ?

— Prendre soin du bétail, par exemple. Tu sais, les vaches, les taureaux, précisa-t-il comme la fillette paraissait ne pas comprendre le sens du mot. Et ces jours-ci, nous avons même de nouveaux chatons.

— Super ! s'enthousiasma l'enfant.

Puis elle se mit à racler le sol poussiéreux de l'extrémité d'une chaussure comme ils la regardaient tous les deux en souriant.

Consciente de son embarras, Meg tendit la main.

— Je m'appelle Margaret Chastain. Mais tu peux m'appeler Meg. Et toi ?

— Carrie Winston, chuchota la fillette.

— Est-ce que tu sais monter à cheval, Carrie ? questionna le cow-boy. Et vous, m'zelle ? ajouta-t-il comme l'enfant secouait la tête. Vous aimez monter ?

— Euh, non. Non, pas vraiment.

— Peut-être qu'avec un bon professeur...

Le souffle de Meg s'étrangla dans sa gorge. Y avait-il vraiment eu, dans sa voix et dans son regard, comme une nuance de promesse, juste avant qu'il ne rabatte sur ses yeux le rebord de son Stetson ?

Elle se força à inspirer de nouveau.

— Mais Carrie aimerait sûrement prendre des leçons, observa-t-elle. Ne sont-elles pas offertes dans le cadre du séjour, monsieur... ?

18

— C'est Trey que j'me nomme, m'zelle, indiqua-t-il, pinçant le bord de son chapeau entre son pouce et son index, tout en baissant les yeux sur la fillette qui tiraillait de nouveau sa manche.

— C'est vrai, je peux ?

— Bien sûr que tu peux. J'en parlerai à Ellie. C'est elle qui donne les leçons. Pete, là-bas, est notre chef vacher, précisa-t-il avec un signe de tête en direction d'un autre cow-boy, un peu plus âgé mais plus vrai que nature. Je ne vois pas Ellie, par contre, mais je vais aller voir si je peux la trouver. Tu es prête à commencer dès demain ?

— Oh oui ! Mais je dois d'abord le dire à ma mamie.

La petite s'étant éloignée en sautillant, Trey se tourna vers Meg.

— Et vous, m'zelle Chastain ? Ça vous dit ?

Meg hésita. Monter ? Cette seule pensée lui donnait envie de s'enfuir à toutes jambes à travers la prairie. Mais c'était pour ça que venaient la plupart des vacanciers, et d'ailleurs elle s'était inscrite pour la chevauchée hors piste de fin de séjour. Géraldine y tenait, de toute façon. Aussi hocha-t-elle la tête.

— Si Carrie est partante, je le suis aussi.

— Alors je vais vous inscrire toutes les deux.

Il prit congé d'un geste à son chapeau puis s'éloigna.

Ce n'est que lorsqu'il disparut au coin de l'écurie que Meg relâcha son souffle en un profond soupir. Comme en réponse, son estomac gargouilla de plus belle, lui rappelant qu'elle avait à peine pris le temps de déjeuner. Il n'y avait plus que quelques places libres à la table, et elle se hâta vers le chariot.

Son arrivée tardive l'avait déjà assez désavantagée : elle avait raté l'apéritif de bienvenue promis par la brochure, et en dehors de Carrie, elle n'avait encore eu l'occasion de rencontrer aucun autre client. Elle espérait toutefois rattraper le temps perdu et en apprendre le plus possible sur le ranch *Triple B* un peu plus tard, autour du feu de camp.

Comme elle s'installait sur le banc devant les tréteaux qui servaient de table, elle s'aperçut qu'elle avait une vue directe sous la véranda du ranch, que le dénommé Trey en remontait les marches, et que son regard ne parvenait plus à s'en détacher.

Il faudrait décidément qu'elle soit prudente avec lui. A la manière dont il la dévisageait comme s'il pouvait voir au-delà de son déguisement, il ne tarderait pas à la démasquer. Or, elle ne pouvait en prendre le risque. Avec un peu de chance, elle aurait bientôt les moyens d'emmener sa tante vivre dans un environnement où son asthme s'atténuerait, et toutes deux pourraient enfin profiter de la vie. Mais cela ne se ferait que si elle se concentrait sur la vraie raison de sa présence ici, et non sur l'un des cow-boys du ranch, aussi sexy soit-il !

Après s'être assuré que tout était revenu à la normale après les désastres de la matinée, Trey descendit les marches de la véranda, ravi du superbe panorama qu'offrait le ranch sur fond de coucher de soleil. Les délicieux fumets qui flottaient dans l'air le firent saliver.

Avec quelques sourires et hochements de tête à l'intention des clients, il alla remplir une assiette à la cantine ambulante puis se tourna vers la table en quête d'une place où s'asseoir.

La seule disponible était à l'extrémité, exactement en face de Meg Chastain.

Il envisagea un instant d'aller s'installer dans

la grange, mais à quoi bon ? Impossible d'éviter totalement cette femme une semaine entière, de toute façon. Autant s'accoutumer à ce regard vert et découvrir pourquoi il provoquait une telle confusion dans son esprit et, dans son corps tout entier, cette onde de choc qu'il avait tant de mal à ignorer.

Lorsqu'il lança une jambe, puis l'autre, par-dessus le banc, la jeune femme s'entretenait avec le jeune couple assis à sa droite. A sa gauche à lui, une femme un peu plus âgée était quant à elle en pleine conversation avec son autre voisin.

— 'Soir, salua-t-il sans s'adresser à quiconque en particulier, avant de s'attaquer directement à son assiette.

— Bonsoir, répondit Meg aussitôt. Vous vous êtes finalement décidé à nous rejoindre ?

Il goûta une première bouchée de côte de bœuf dégoulinante de sauce barbecue puis releva les yeux — pour tomber droit sur le regard vert émeraude, lequel le captura d'emblée, si bien que c'est à peine s'il remarqua le départ de sa voisine de gauche.

Conscient qu'on attendait une réponse de sa part, il déglutit en hâte, puis expliqua :

— J'avais encore quelques détails à régler.

22

— Cet endroit est magnifique, s'extasia la femme à côté de Meg. Et cette nourriture tout bonnement succulente.

— Je lève mon chapeau à la cuisinière ! renchérit son mari.

Trey réprima un soupir de soulagement : le regard émeraude, enfin, se reportait sur le couple, ce qui lui permit de s'éclaircir un peu les idées pour répondre :

— Térésa est la meilleure cuisinière à des lieues à la ronde, monsieur… Henderson, c'est bien ça ?

Son répit fut de courte durée, cependant, car Meg lui décocha alors un sourire si radieux qu'il manqua en tomber à la renverse.

— Depuis combien de temps travaille-t-elle pour le ranch ? s'enquit-elle.

— Depuis toujours, répondit-il tout en essayant de se ressaisir. Nous ne voudrions personne d'autre.

— Ça se comprend, commenta Ted Henderson avec un petit rire. Mais je ne serais pas surpris que quelqu'un vous la vole un de ces jours. Avec de tels repas, il va me falloir dépenser le plus de calories possible cette semaine, alors autant commencer tout de suite. Ça ne vous ennuie pas si Janet et moi allons jeter un coup d'œil alentour ?

— Faites, je vous en prie, accepta de bonne grâce Trey. Et si vous avez besoin de quoi que ce soit, n'hésitez pas à le demander. On vous revoit au feu de camp, tout à l'heure ?

— Avec plaisir, confirma Ted Henderson.

Puis, sur un sourire à Meg, le couple s'éloigna, laissant Trey en tête à tête avec la seule femme avec laquelle il ne souhaitait pas l'être.

Le silence s'installa tandis que chacun terminait son assiette. Mais bien qu'il fasse de son mieux pour se concentrer sur sa côte de bœuf, il ne put s'empêcher de jeter de temps à autres de furtifs coups d'œil à sa compagne de table, tant il se posait de questions à son sujet.

Il divisait les femmes en deux types. Le premier incluait les séductrices, toujours à l'affût d'un bon moment à passer. C'était celles avec lesquelles il se sentait le plus à l'aise, parce que les autres étaient du type à vouloir se caser. Or, il tenait bien trop à sa liberté pour se laisser piéger par l'une d'elles. Non qu'il ne les apprécie pas, mais l'expérience lui avait appris que l'un ou l'autre finissait toujours par en souffrir. Le premier type le comprenait, le second n'aspirait qu'à l'entraver. Il n'aurait su dire, toutefois, dans quelle catégorie situer Meg Chastain. Mais peu importait. Il n'avait guère le temps de se préoccuper d'une femme ces temps-ci, de quelque sorte qu'elle soit.

Son repas achevé, il déposa sa serviette en papier près de son assiette puis songea à se lever pour partir. Mais que dire à la femme assise en face de lui pour prendre congé ?

Les paroles qu'il aurait pu prononcer — celles qu'il adressait d'ordinaire aux femmes qui lui plaisaient — se bousculaient sur le bout de sa langue. Mais, heureusement pour lui, celle-ci était encore nouée.

Comme il la dévisageait sans un mot, elle reposa lentement ses couverts de part et d'autre de son assiette, puis le questionna :

— Depuis quand le ranch est-il ouvert aux touristes ?

Elle se tamponna ensuite la bouche du coin de sa serviette, ce qui le força à fixer un endroit plus neutre, en l'occurrence le lobe de son oreille gauche.

— Depuis décembre de l'année dernière.

— Est-ce que les hivers sont froids, par ici ?

— Non, plutôt doux. Et les vôtres ? s'enquit-il, curieux d'apprendre d'où elle était originaire.

— Très froid.

— Ah ? Vous êtes de la côte Est ?

Elle secoua la tête.

— Plutôt du nord, où il y a beaucoup de verglas et de neige. D'ailleurs, là-bas, un hiver sans neige n'existe pas.

Elle se leva, entreprit de débarrasser son côté de table.

— Je ferais mieux d'aller défaire mes bagages. Merci de m'avoir tenu compagnie.

Quand elle se détourna, il en éprouva un curieux mélange de soulagement et de manque.

Il se pencha pour saisir son assiette.

— Laissez-moi m'occuper de ça. Et n'oubliez pas le feu de camp, dans une heure, ajouta-t-il, effleurant de l'index le bord de son chapeau.

Tandis qu'il se dirigeait vers le chariot pour y déposer les couverts, il sentit qu'elle le suivait du regard.

Il en avait l'habitude. D'ordinaire, l'intérêt qu'il portait aux femmes n'était pas sans retour. Cette fois, c'était… différent. Mais en quoi exactement, il n'aurait su le dire.

Haussant les épaules, il s'éloigna, déterminé

26

à terminer la journée mieux qu'il ne l'avait commencée.

Il n'avait eu que des mauvaises nouvelles depuis le début de la matinée, à partir du moment où ses deux meilleurs vachers s'étaient fait renverser par le nouveau taureau. A présent, l'animal errait on ne savait où dans le pâturage sud, en compagnie d'une quinzaine de vaches qui en avaient profité pour s'enfuir elles aussi de l'enclos. D'où une double journée de travail pour lui : il lui avait fallu remplacer ses deux hommes blessés en plus d'accueillir les clients de la semaine. Et comme si ça ne suffisait pas, la secrétaire ne s'était pas présentée ce matin…

Non, rien d'étonnant à ce qu'il soit exténué. Cela expliquait certainement cet étrange brouillard dans sa tête. Il avait plus important à penser, de toute façon, qu'à une paire d'ensorcelants yeux verts qui paraissaient voir droit jusqu'au fond de son âme.

Il y avait, avant tout, le *Triple B*.

Car c'était là qu'était son cœur, et qu'il le resterait toujours.

# 2.

Meg sélectionna l'une des nombreuses balles de foin qui entouraient le feu de camp, de manière à avoir une claire vue de tout et de tout le monde, puis elle s'y installa avec une grimace.

Pointues, les extrémités des brins de paille qui transperçaient le tissu de sa jupe !

Elle avait bien emporté deux jeans, juste au cas où, mais elle espérait ne pas avoir à les porter. Ils soulignaient sa silhouette, ce qui était plutôt ennuyeux. Ceci dit, pour les leçons d'équitation, elle se voyait mal porter l'une de ces affreuses jupes amples qui lui tenaient lieu de déguisement.

Une ombre occulta tout à coup la clarté du feu. Le dénommé Trey se tenait devant elle, sa haute silhouette découpée à la lueur des flammes, les pouces crochetés à sa ceinture, son Stetson rabattu en arrière.

Ces larges épaules, ce torse puissant, cette taille étroite et ces cuisses musclées vêtues de jean, c'était à couper le souffle à n'importe femme. En tout cas, elle en perdit le sien.

— Alors, ça vous plaît ? lança-t-il de son intonation traînante.

Avant qu'elle ait pu reprendre suffisamment de souffle pour lui répondre, Carrie, arrivée derrière lui, le tira par la manche.

— C'est demain matin, la leçon d'équitation, dis ?

— Oui, juste après le petit déjeuner, confirma-t-il avec un profond rire de gorge qui fit courir sur l'épine dorsale de Meg une succession de petits frissons. Je t'ai déjà choisi un cheval, spécialement pour toi. A demain, au petit déjeuner, donc, salua-t-il, avant de s'éloigner sans même un dernier regard à Meg.

Ravie, la fillette se tourna vers elle, et Meg s'arracha à contrecœur à la fascinante vue du cow-boy qui s'éloignait de sa souple démarche. Puis, comme la fillette étouffait un bâillement, elle sauta à bas de la balle de foin et la prit par la main.

— Allons trouver ta grand-mère, qu'elle aille te mettre au lit.

— Mais personne d'autre ne va se coucher ! protesta la fillette.

— Si, moi, décréta Meg.

Quelques minutes plus tard, l'enfant remise aux mains de sa grand-mère, elle prit la direction de son bungalow.

Inspirant profondément, elle renversa la tête en arrière pour contempler la voûte étoilée. Jamais elle n'avait rien vu de si beau ! Et l'air autour d'elle était si pur et si sain, si différent de celui qu'on respirait en ville ! Un jour, songea-t-elle avec espoir, sa tante et elle profiteraient ensemble de la pureté de la nature. A condition qu'elle ne perde pas de vue la raison de sa présence ici.

Un mouvement dans la pénombre la fit sursauter. Le cœur battant, elle sentit ses poils se hérisser sur sa nuque.

— Qui est là ?

— Je ne voulais pas vous effrayer.

Elle reconnut aussitôt l'accent traînant de Trey et respira un peu mieux.

— Oh ! C'est vous.

Mais à son profond dégoût, les battements de son cœur ne s'apaisèrent pas pour autant, et ils s'affolèrent même davantage lorsque le cow-boy se mit à marcher à son côté.

— Vous rentrez déjà ? interrogea-t-il.

Elle lui coula un bref regard, qu'elle détourna sitôt qu'elle s'aperçut qu'il la regardait aussi.

— Le trajet a été long, et je préfère être dispose demain matin, pour la leçon.

— D'où avez-vous dit que vous étiez, déjà ?

— Je ne l'ai pas dit, observa-t-elle. Mais je viens de l'Indiana.

— Long trajet, en effet, commenta-t-il avec un petit sifflement.

— A part la chaleur, ça m'a plu, confessa-t-elle. Je n'avais encore jamais eu l'occasion d'admirer de si beaux paysages.

— J'en ai vu plus qu'à mon tour lorsque je faisais du rodéo, mais jamais d'aussi magnifiques qu'ici, dit-il alors avec, dans la voix, une évidente fierté.

Elle n'aurait pu l'en blâmer : les alentours du ranch étaient d'une beauté saisissante.

— Je n'ai jamais assisté à un rodéo, mais j'en ai vu des retransmissions, reprit-elle. Pour être franche, j'ai trouvé ça effrayant. Tous ces animaux sauvages ne sont-ils pas terriblement dangereux ?

— Il y a beaucoup d'accidents, admit-il, mais quand on a ça dans le sang, ça n'a pas d'importance. Mon frère a été champion national les deux dernières années où il était en compétition, alors je suppose que ça coule dans les veines de la famille. Mais pas vraiment dans les miennes, nuança-t-il avec un petit rire. Je préfère de loin les grands espaces.

Comme ils atteignaient son bungalow, il lui fit face puis, après l'avoir dévisagée quelques instants dans la pénombre, il se racla la gorge et conclut :

— Dormez bien. A demain au petit déjeuner.

Meg hocha la tête en silence puis monta ouvrir sa porte. Avant de la refermer, elle voulut l'apercevoir une dernière fois, mais ne put rien distinguer dans l'obscurité.

— C'est tout aussi bien, se murmura-t-elle à elle-même.

Demain viendrait bien assez tôt, et il lui faudrait rattraper le temps perdu. Parce que jusqu'ici, elle en avait plus appris sur ce Trey que sur le ranch proprement dit, sans compter qu'elle n'avait même pas encore fait la connaissance de Bufford Brannigan.

\*
\* \*

— Comment ça, tu ne donnes pas la leçon ? hurla Trey le lendemain matin à l'adresse de sa minuscule belle-sœur.

Ellie Brannigan s'adossa posément à la barrière du corral, les bras croisés.

— Calme-toi, Trey. Nous manquons de personnel, et Sherry a appelé ce matin pour annoncer qu'elle ne viendrait pas non plus aujourd'hui. Quelqu'un doit rester au bureau pour répondre au téléphone et rattraper un peu le retard dans les papiers, et tu sais bien qu'il n'y a que moi qui peux le faire.

— Mais qui va donner la leçon ?

— Eh bien, mais toi, voyons, repartit la jeune femme, se détachant de la barrière et prenant la direction de l'écurie.

Trey lui agrippa le bras avant qu'elle ait pu faire un pas de plus.

— Attends une minute. Pourquoi moi ?

Dégageant son bras, elle se planta devant lui, les poings sur les hanches.

— Parce que personne d'autre n'est disponible, voilà pourquoi. Et que tu t'y connais en équitation plutôt mieux qu'en secrétariat !

Elle avait raison, mais la dernière chose dont

33

Trey avait besoin était de passer plus de temps en compagnie de Meg Chastain.

La veille, lorsqu'il l'avait quittée devant son bungalow, il avait pris la décision de mettre autant de distance que possible entre cette femme aux ensorcelants yeux verts et lui. Donner cette leçon n'allait pas dans ce sens-là !

Il ôta son chapeau, se passa une main dans les cheveux, indécis.

— Je ne peux pas, Ellie.

— Oh, s'il te plaît…

— Non, vraiment, insista-t-il, renfonçant son Stetson sur sa tête.

Comment expliquer à Ellie que ses plans pour la journée prévoyaient d'éviter avant tout une certaine cliente ? Une cliente qu'il ne parvenait pas à s'ôter de l'esprit, même s'il n'aurait su expliquer pourquoi, et encore moins à la femme de son frère !

— Ecoute, suggéra-t-il avec espoir, je me charge du bureau, comme ça, tu pourras donner la leçon.

— Tu n'as aucune idée d'où sont les dossiers, lui rappela sa belle-sœur.

Il détestait l'admettre, mais une fois encore, elle avait raison. Il avait beau être en charge de la gestion du ranch, il était malheureusement aussi perdu dans un bureau qu'en plein océan ! Sans leur jeune secrétaire, c'était sûr, le *Triple B* n'irait pas bien loin.

— D'accord, concéda-t-il de mauvaise grâce. Mais juste pour aujourd'hui, compris ? Au retour de Sherry demain, tu reprends les leçons.

— Elle a dit avoir un problème personnel urgent à régler. Tout sera de nouveau normal demain, le rassura Ellie en lui tapotant l'épaule.

— Qu'est-ce qui est normal, je me le demande, grommela Trey sans daigner lui rendre le sourire qu'elle lui adressa par-dessus son épaule.

Un soupir de frustration conclut ce bref accès de découragement.

Il avait le choix : se laisser emporter par le courant et affronter les écueils successifs qui semblaient être son lot pour la semaine, ou abandonner.

Et abandonner était hors de question. Il y avait trop en jeu. Le *Triple B* n'était pas seulement son moyen de subsistance, c'était également celui d'Ellie et de Chace. Or il n'ignorait pas que si son frère et sa belle-sœur désiraient de tout cœur fonder une famille pour perpétuer le nom des Brannigan, ils ne s'y risqueraient pas avant d'être certains que l'activité touristique du ranch pouvait être rentable. Et elle ne le deviendrait que s'ils attiraient plus de clientèle.

Gratifiant une inoffensive motte de terre d'un coup de pied rageur, il prit la direction de l'écurie. Il savait déjà à peu près qui prendrait part à la leçon et quel cheval attribuer à chacun, mais autant s'assurer que tout était en ordre avant que le groupe ne lui tombe dessus.

Une fois à l'intérieur, il s'arrêta devant la première stalle pour jeter un coup d'œil à la placide jument pommelée sélectionnée pour la jeune Carrie. Satisfait de son choix, il alla inspecter les autres montures. La sécurité de ses clients était une priorité, il ne pouvait risquer que l'un d'eux atterrisse sur son postérieur et reparte clopin-clopant chez lui en hurlant au procès.

Une agitation soudaine, un peu plus loin, attira tout à coup son attention. A quelques stalles de là, l'étalon bai renâclait. Curieux de voir ce qui le perturbait, Trey s'avança sans bruit. Mais s'il s'attendait à découvrir n'importe quel animal derrière la barrière, de la souris au putois, ce qu'il vit le pétrifia.

Agenouillée dans un coin, Meg Chastain murmurait des paroles de réconfort à un animal.

Trey pria en silence qu'elle n'ait rien à en craindre. Un tatou n'était pas bien beau à voir, pas plus qu'un opossum, mais qui savait ce qui était à même d'attendrir les gens ?

A la vue d'un bout de queue gris, celui de la chatte qui venait de mettre bas, il se détendit. Les bras croisés sur la barrière, il observa sans un mot la jeune femme. Autant profiter de l'occasion tant que son attention était ailleurs, pour essayer de découvrir ce qui, chez elle, aiguillonnait tant sa curiosité et son pouls.

Hélas, agenouillée comme elle l'était, il n'en voyait pas grand-chose. Comme la veille, elle arborait un ample et informe T-shirt qui pendait autour d'elle et dissimulait ce qu'elle portait, à l'exception d'un carré d'étoffe bleue qui le narguait au-dessus des tennis rose fluo.

Paresseux, son regard remonta jusqu'à la courbe gracile de sa nuque. Avec sa tête ainsi penchée, c'était comme si la tendre peau ivoire réclamait la pression de ses lèvres. L'idée lui plut, et il s'apprêtait contre tout bon sens à la mettre en pratique, lorsque Meg lui jeta un regard par-dessus son épaule.

Derrière les verres, les prunelles vertes l'attirèrent aussitôt inexorablement dans leurs insondables profondeurs.

Elle se retourna, et il libéra bruyamment son souffle avant de s'admonester vertement. Il n'était plus un adolescent, que diable !

Lorsqu'elle lui fit de nouveau face, il était prêt à affronter ses yeux revolver.

— Des chatons, dit-elle, une minuscule boule de poils lovée contre sa joue. Carrie va les adorer ! J'espère que l'écurie n'est pas interdite d'accès ?

Elle reposa le petit être contre sa mère puis se redressa, époussetant quelques brins de paille accrochés à son… jean, s'avisa-t-il après un bref regard en direction de la partie inférieure de ses jambes. Car c'est tout ce qu'il pouvait en voir : interminable, le T-shirt descendait pratiquement jusqu'à ses genoux !

— Est-ce qu'elle l'est ? insista-t-elle.

— Quoi ?

Il plongea les yeux dans le regard émeraude, et ce fut comme si une mule venait de lui décocher une ruade en pleine poitrine. Il lui fallut quelques secondes pour reprendre son équilibre, et il se força à détourner les yeux, de crainte de perdre le peu de maîtrise qui lui restait. S'écartant de la stalle, il fourra ses mains dans les poches arrière de son jean avec ce qu'il espérait être de la désinvolture.

— L'écurie, s'impatienta Meg. Est-elle interdite d'accès ? J'aimerais montrer les chatons à Carrie après la leçon.

Il secoua la tête.

— Non. Enfin, je veux dire, vous pouvez, mais faites bien attention qu'elle ne s'approche pas de Pedro, là, avertit-il avec un signe de tête en direction du cheval qui renâclait à l'autre extrémité de la stalle. Je suis surpris que vous soyez entrée, d'ailleurs.

Une lueur d'inquiétude rétrospective traversa le regard vert.

— Il est dangereux ?

— Un peu ombrageux, mais s'il a dû sentir que vous n'aviez pas peur.

— C'est plutôt que je n'ai pas vraiment fait attention à lui, avoua-t-elle. J'ai entendu les chatons miauler, et…

Livide, Meg longea prudemment la paroi opposée à l'étalon jusqu'au vantail que Trey lui tenait ouvert.

— La leçon ne devrait plus tarder. Nous

nous reverrons à l'occasion, je suppose, lança-
t-elle.

Malheureusement, sa fragrance fraîche et
printanière lui effleura les narines lorsqu'elle
passa devant lui, si troublante qu'il ne put que
hocher silencieusement la tête.

Comme elle s'éloignait, il se remémora tout
à coup que la leçon, c'était lui qui s'apprêtait à
la donner, non Ellie. Il s'éclaircit tant bien que
mal la voix.

— C'est moi qui donne la leçon aujour-
d'hui.

La jeune femme s'immobilisa à quelques
mètres des doubles portes et lui jeta un regard
incertain par-dessus son épaule.

— N'avez-vous pas dit que ce devait être une
certaine Ellie ?

— D'ordinaire oui, mais...

Il haussa les épaules et se tut. Peut-être allait-elle
changer d'avis ?

Au lieu de quoi elle répondit, avec un haussement d'épaules elle aussi :

— A tout de suite, alors.

Nom d'un chien ! s'exaspéra intérieurement
Trey.

Manifestement, il n'avait pas le choix : il allait

devoir lui apprendre à monter. Elle avait tout l'air de ne rien y connaître, il ne lui restait plus qu'à croiser les doigts et à espérer qu'elle s'y mette vite, parce qu'il n'était pas certain qu'il soit prudent pour lui de graviter trop longtemps autour d'elle. S'il avait le moindre brin de jugeote, d'ailleurs, il ferait mieux de veiller à ce qu'elle ne se fasse pas de fausses idées. Et il ne voyait qu'un seul moyen pour ça : ne plus lui parler, à moins que ce ne soit strictement nécessaire.

Alors cette leçon, quelle poisse !

— Venez d'abord autour de moi, que je vous montre comment seller un cheval, enjoignit Trey sur le seuil de l'écurie, son Stetson rabattu sur le visage pour se protéger de l'éclat du soleil.

Meg l'écouta donner les instructions, fascinée par son expertise et par la grâce de ses gestes.

Ses mains étaient puissantes, ses doigts longs, hâlés et un peu calleux, mais doux dans leurs manipulations. Elle s'aperçut tout à coup qu'elle se demandait ce que ce serait de sentir ces mains sur son corps, et elle endigua en hâte ses pensées à la dérive.

Ah non, pas de ça ici ! Ce cow-boy lui serait peut-être utile pour sa mission, mais il n'y avait rien d'autre à en attendre. De plus, il était probablement comme tous les autres hommes qu'elle avait rencontrés, cette douceur ne devait être que pure façade.

— Bien, décréta-t-il, l'arrachant à sa rêverie. Je vais attribuer à chacun un cheval, que vous allez vous-même seller. Si vous avez besoin d'aide, je vous donnerai un coup de main.

Meg frissonna, prise d'une terreur soudaine. Une vie entière à Gary, Indiana, ne l'avait nullement préparée aux chevaux ! C'était tout juste si elle savait en distinguer le nez de la croupe ! Et voilà qu'elle devait en chevaucher un !

Elle sentit une petite main se glisser dans la sienne.

— J'peux pas soulever la selle, se lamenta Carrie d'une petite voix tremblante.

Elle n'eut pas à la rassurer : Trey se penchait déjà au niveau des yeux de l'enfant.

— Ne t'inquiète pas, ma puce. Je sais bien que tu es encore trop petite. Je vais aider Meg, et ensuite je viendrai m'occuper de toi.

Puis il se redressa et plongea le regard droit dans celui de Meg, laquelle détesta s'avouer que la seule perspective d'avoir à seller un cheval la paniquait.

— Montrez-moi seulement le cheval, décréta-t-elle néanmoins, d'une voix qu'elle espérait moins tremblante que ses genoux.

— Vous êtes sûre de pouvoir soulever cette selle ?

Elle lui décocha un sourire qu'elle voulait suffisant.

— Je suis bien plus solide que je n'en ai l'air. Occupez-vous plutôt de Carrie. J'appellerai au secours au besoin.

Il esquissa un signe de tête en direction d'une stalle toute proche.

— Vous voyez cet alezan, là ? C'est le vôtre.

La respiration de Meg se bloqua. L'animal était splendide et… immense.

— A-t-il un nom ?

— Clair de Lune. Ne vous laissez pas impressionner, il est doux comme un agneau.

Les genoux comme du caoutchouc, elle s'avança lentement vers la stalle puis y pénétra, le cœur battant.

— Salut, Clair de Lune, je suis Meg. Que tu es beau ! le complimenta-t-elle d'une voix bien plus sereine qu'elle ne se sentait.

D'une main légèrement tremblante, elle lui

flatta l'encolure, puis elle recula d'un pas et avertit :

— Tu vois cette selle, là ? Je vais la prendre et...

Mais à peine eut-elle soulevé la lourde pièce de cuir qu'elle partit en arrière et dut s'adosser à une paroi pour se maintenir debout. Il fallait pourtant qu'elle y arrive, bon sang !

L'animal, hélas, refusa de coopérer. Dès qu'elle approchait, il s'écartait. Après trois essais infructueux et un ou deux jurons maugréés entre ses dents, elle saisit de nouveau le pommeau de cuir, prit une profonde inspiration, puis s'avança résolument. Cette fois, l'animal renâcla bruyamment, ce qui la fit sursauter. Déséquilibrée par le poids de la selle, elle tomba à la renverse avec bruit et se retrouva par terre, des larmes de frustration dans les yeux.

— Des soucis ?

Au son de la voix de Trey, elle tourna vivement la tête et le trouva accoudé au-dessus d'elle, une lueur narquoise dans les yeux.

— Comme vous voyez !

Il ouvrit le vantail et souleva la selle qui la plaquait au sol.

— Pas trop de dégâts ?

Elle se redressa tant bien que mal, fit mine de s'épousseter les fesses et le dos, couverts de fétus de paille.

— Aucun, affirma-t-elle, non sans ajouter en silence : « Si ce n'est à mon amour-propre ! »

Trey la détailla des pieds à la tête d'un air dubitatif puis reporta son attention sur l'alezan et observa, empoignant sur le muret de séparation un plaid aux teintes vives :

— Vous avez oublié sa couverture.

— Ah, ne lui sert-elle pas plutôt lorsqu'il dort ?

Les mains brusquement figées sur un étrier, son mentor manqua s'étrangler de rire.

— Je ne sais pas chez vous, mais ici, les chevaux ne sont pas frileux ! se moqua-t-il en s'essuyant les yeux du dos de la main.

Puis, l'animal prêt, il pivota et la laissa en tête à tête avec sa monture.

— Tous les chevaux sont sellés ? Alors sortons dans le corral.

— Ne t'inquiète pas, lança Carrie à Meg lorsqu'elle passa devant sa stalle, entraînant sa jument par la bride. Je n'y suis pas arrivée non plus.

Meg la remercia d'un sourire, puis nota qu'il

lui fallait encore passer par-dessus l'encolure la longue longe de cuir attachée à l'attirail que le cheval avait dans la bouche, de manière à pouvoir le manœuvrer. Décidément, ces leçons ne seraient pas du luxe !

Lorsqu'elle retrouva le groupe à l'extérieur, Trey, à l'aide d'un superbe étalon noir, expliquait comment se hisser en selle :

— Côté gauche, empoignez le pommeau de la main gauche et le troussequin de la droite. Ensuite, placez votre pied gauche dans l'étrier, et lancez votre jambe droite, comme ceci.

Avec une grâce étonnante pour sa haute taille, il prit place sur la selle, puis reprit :

— Pointez toujours vos talons vers le bas, les genoux contre les flancs, les mains fermement agrippées aux rênes, mais sans tirer dessus. Parce que si vous trouvez que les freins de votre voiture sont un peu chatouilleux, ce n'est rien à côté de ces bêtes-là !

Meg aida tant bien que mal Carrie à se mettre en selle sur un cheval qui ne cessait de remuer. Son attention, toutefois, demeurait sur Trey. Il avait si belle allure ! Sa monture et lui évoluaient comme s'ils ne faisaient qu'un, et pour la première fois, elle comprit ce que signifiait l'expression « être né en selle ».

Carrie correctement installée, elle contournait la jument pommelée par la croupe, lorsqu'elle fut brusquement tirée en arrière par une main dont l'implacable étau sur son bras lui arracha une grimace.

— Seriez-vous folle ? s'écria Trey. A moins que vous ne teniez vraiment à vous faire déchausser les dents à coups de sabots ?

— Pourquoi cette brave bête ferait-elle ça ?

Il la fixa avec stupéfaction, puis il secoua la tête et rétorqua :

— Elle ne peut pas vous voir, là derrière. Allez, en selle !

Comme il l'entraînait vers l'alezan, elle s'efforça de ravaler le nœud d'appréhension qui lui serrait la gorge à l'affolante perspective de se hisser en selle. C'est néanmoins avec une vive inquiétude qu'elle inséra un pied dans l'étrier.

Attrapant son mollet, Trey lui fit aussitôt reposer la jambe par terre.

— Côté *gauche*, pied *gauche*.

Elle le regarda sans comprendre.

— *Sa* gauche, vous voulez dire ? hasarda-t-elle, avant de contourner l'alezan, par le devant, cette fois, et de recommencer, non sans adresser un sourire faussement confiant à son instructeur, qui l'observait par-delà l'échine de l'animal.

Le pied gauche dans l'étrier correspondant, elle s'élança de toutes ses forces, mais son pied droit retomba à terre. Une première fois, une seconde et encore une troisième.

— Tout votre poids doit porter sur l'étrier et c'est seulement votre autre jambe que vous devez lancer par-dessus, expliqua-t-il, contournant à son tour l'animal pour venir saisir son mollet. Recommencez.

Lorsqu'il plaça une main sous ses fesses, elle manqua lui retomber dessus. Avec l'élan qu'il lui donna, elle fut propulsée en l'air et ne se retint que de justesse, grâce au pommeau, de basculer de l'autre côté.

— Vous y êtes ? s'enquit-il, la main sur sa cuisse.

— Euh, à peu près, marmonna-t-elle, troublée par la vive chaleur qui irradiait de ce contact.

Comme s'il venait seulement de s'apercevoir que sa main n'avait aucune raison de s'attarder là où elle se trouvait, Trey s'écarta vivement, tournant les talons si brusquement qu'elle en eut presque le tournis. De nouveau en selle, il réclama l'attention :

— Et maintenant, donnez un petit coup de rênes et effleurez — je dis bien *effleurez* — les flancs de votre monture avec vos talons.

Le cœur battant, Meg se résigna à l'idée qu'il allait lui falloir réellement manœuvrer l'animal et s'efforça d'exécuter les instructions données.

Sans que l'alezan ne remue d'un pouce.

Elle essaya alors de tirer sur les rênes, sans plus de succès : Clair de Lune ne réagissait toujours pas. Aussi lâcha-t-elle en désespoir de cause, penchée en avant :

— Avance, cheval !

Et là, ô miracle, l'alezan s'exécuta.

— Genoux à l'intérieur, mademoiselle Chastain ! ordonna Trey de l'autre extrémité du corral. Et abaissez-moi ces talons ! Sans bottes, vous pourriez vous fouler la cheville en un rien de temps.

Meg obtempéra aussitôt. Il était hors de question qu'elle coure ce risque et soit bêtement mise à l'écart des activités du ranch.

— Peut-être devriez-vous aller faire un saut à San Antonio pour vous acheter une paire de bottes, lui suggéra Trey, lorsqu'elle fut parvenue à quelques mètres de lui. Si vous comptez encore monter cette semaine, je veux dire.

— Je n'y manquerai pas, répondit-elle, quoique peu convaincue d'avoir de sitôt le courage de remonter en selle.

Pas trop tôt ! songea-t-elle un quart d'heure plus tard, lorsque Trey déclara la leçon terminée.

Elle s'apprêtait à se laisser glisser à terre, lorsque son soupir se transforma en hoquet de saisissement comme deux mains l'agrippaient par la taille.

Les deux pieds enfin fermement posés sur la terre battue, elle se tourna et découvrit Trey, ses yeux bleus écarquillés comme s'il venait lui aussi d'avoir la surprise de sa vie.

Il la lâcha puis recula d'un pas.

— Vu le mal que vous avez eu à monter, j'préfère vous éviter de tomber, se moqua-t-il.

Meg se mordit la lèvre.

Entre la manière dont ce type la troublait et son peu d'assurance en selle, c'était à se demander comment elle finirait la semaine ! Quelle folie de s'être proposée pour cette mission ! Mais c'était fait, et elle n'avait plus d'autre choix que de s'y consacrer de son mieux.

Restait à espérer que ce soit suffisant.

## 3.

Trey regarda Meg ramener Clair de Lune à
sa stalle, hypnotisé par sa démarche.

Elle avait beau ne rien laisser entrevoir de
son corps des orteils au menton, il y avait dans
l'ondulation de ses hanches quelque chose d'in-
finiment sensuel. Elle se cachait derrière ces
vêtements, il ne voyait pas d'autre explication.

Lorsqu'il l'avait descendue de cheval, ses
doigts s'étaient pressés sur une chair ferme.
Aucun kilo en trop sur ces hanches-là, juste les
généreuses courbes de la féminité. Si bien qu'il
s'interrogeait à présent sur les autres parties de
son anatomie, et plus que jamais sur le genre
de femme qu'elle était.

— Alors, cette leçon ?

Jetant un coup d'œil par-dessus son épaule, il
vit approcher sa belle-sœur.

Il appréciait beaucoup Ellie, Chace n'aurait

pas pu trouver mieux. Mais lui-même n'était pas le type à se caser. Il y avait bien trop de jolies femmes alentour pour apprécier sa compagnie. Meg Chastain, elle, venait d'ailleurs, et c'était sans doute pourquoi elle l'intriguait tant. Avec le temps, ça lui passerait, il en était certain.

— Pas trop mal, répondit-il à Ellie. Il n'y avait que cinq élèves. Peut-être que les autres savaient que c'était moi qui donnais la leçon et pas toi ! ironisa-t-il avec un sourire.

Avec un éclat de rire, Ellie cala son pied gauche sur la traverse inférieure du corral et croisa les bras sur la plus haute.

— Peut-être. Y a-t-il quelque chose de spécial que je dois savoir ? Des problèmes particuliers ?

— Pas vraiment, mais si la petite veut participer à la chevauchée de samedi, mieux vaudrait qu'elle prenne une ou deux leçons particulières.

— Elles sont en dehors du forfait, lui remémora Ellie.

— J'en toucherai deux mots à sa grand-mère, il ne devrait pas y avoir de problème, affirma Trey d'un air absent, son attention de nouveau distraite par Meg, qui ressortait de l'écurie.

Il ne put s'empêcher de la suivre des yeux

tandis qu'elle longeait la bâtisse en direction des bungalows.

— Et celle-là, comment s'est-elle débrouillée ? s'enquit Ellie avec un geste en direction du coin de l'écurie derrière lequel la jeune femme venait de disparaître.

— A peu près, éluda Trey, qui n'aurait pu nier que Meg n'était pas très à l'aise. Mais il suspectait qu'une fois les bases acquises, elle s'y mettrait vite.

— Peut-être devrais-tu trouver un peu de temps pour lui donner des leçons particulières, à elle aussi, suggéra alors sa belle-sœur, qui le scrutait à présent avec attention.

Il soutint son regard sans broncher.

— Moi ? Et où suis-je censé trouver du temps ?

— Et moi donc ! contra-t-elle d'un ton sarcastique. Mais tu ferais mieux d'y penser, parce que l'à-peu-près, ça ne va pas suffire pour la chevauchée.

Il secoua la tête. Que le diable l'emporte, il ne passerait pas plus de temps que nécessaire avec cette cliente-là !

— Pas la peine. Encore une ou deux leçons avec toi, et ça devrait aller mieux.

Ellie s'écarta de la barrière, et prit la direction de l'écurie.

— Pour toi ou pour elle ? lança-t-elle par-dessus son épaule Bon, à plus tard. J'ai du travail qui m'attend.

— Des nouvelles de Chace ? questionna Trey sans relever son allusion. Il doit rentrer ce soir, non ?

— Non, mais je pense qu'il appellera en route.

Trey hocha la tête.

Son frère était parti tôt l'avant-veille pour aller acheter des chevaux à la foire annuelle. D'après lui, il n'aurait aucun problème pour le transport de retour. Un souci de moins. Et davantage de temps, du coup, pour s'interroger sur les courbes cachées de Meg Chastain…


Meg sortit sous la petite véranda du bungalow et inspira une profonde goulée de l'air si carac-téristique du ranch. Un air à la fraîche odeur de foin, totalement exempt de gaz d'échappements, si différent de celui de la ville.

C'était cet air-là qu'elle voulait pour tante Dee. De l'air sain. Dans un tel environnement, sa pauvre tante pourrait enfin profiter de la vie, au lieu de lutter pour chaque inspiration. Hélas, la pauvre Dee n'avait pas été gâtée par la vie. Ses problèmes de santé persistants lui avaient coûté le moindre dollar qu'elle aurait pu mettre de côté. Mais aujourd'hui, Meg espérait enfin dédommager sa tante de tout l'amour dont elle lui avait si généreusement fait don au cours des années.

Elle décida d'aller flâner dans la prairie qui s'étendait derrière les bungalows.

L'herbe sèche émaillée de fleurs sauvages bruissait contre son jean, et des voix indistinctes lui parvenaient en provenance de l'écurie, mais en dehors de cela régnait le plus parfait silence. Le plus merveilleux des silences.

Plus ragaillardie qu'elle ne s'était sentie depuis longtemps et plus que jamais raffermie dans ses intentions, elle pivota de nouveau vers le ranch. Il faudrait qu'elle pense à remercier Géraldine, non seulement pour cette opportunité de se faire un nom, mais aussi celle de profiter d'un si bel endroit.

La vue d'un cow-boy s'avançant dans sa direction la fit s'arrêter net. Impossible de confondre avec une autre cette démarche nonchalante. Le rythme de son cœur s'accéléra aussitôt, et elle dut inspirer plusieurs fois profondément pour l'apaiser avant que Trey ne la rejoigne. Il lui fallait à tout prix se ressaisir.

Il s'immobilisa à un pas d'elle, plissant les yeux contre l'éclat du soleil couchant.

— Du vague à l'âme ?

Elle secoua la tête.

— Non, je profite simplement du grand air.

— Vous ne vous ennuyez pas, au moins ?

— Non, pas du tout, affirma-t-elle, après une légère hésitation.

Etait-ce le moment de poser quelques questions, pour peu qu'il sache quoi que ce soit en tant qu'employé ? Cela valait la peine d'essayer.

— Depuis combien de temps vivez-vous ici ? questionna-t-elle en guise d'entrée en matière.

Le lent sourire que lui décocha Trey accéléra le rythme de son cœur de dix bonnes pulsations-minute. Sexy comme il l'était, cinq minutes de conversation avec lui devaient suffire à vous faire perdre autant de calories qu'une séance d'aérobic !

Inclinant le bord de son Stetson pour s'abriter les yeux, il partit d'un profond rire de gorge.

— Depuis toujours, je dirais. Et il s'écoulera

autant de temps avant que je parte. Que pensez-vous de l'endroit ?

— C'est splendide, répondit-elle en toute franchise.

— Vous n'étiez jamais venue au Texas ?

Elle secoua la tête, troublée. Elle se sentait dévisagée par les yeux de Trey cachés dans l'ombre du chapeau. C'est à peine si elle osait elle-même lui jeter un regard. Ses traits marqués mais délicatement ciselés auraient fait défaillir d'admiration n'importe quelle femme.

Mais elle n'était pas n'importe quelle femme, justement. Elle avait eu son lot de rencontres décevantes avec les hommes, et elle préférait vivre sans. Faire carrière était bien plus gratifiant, en plus d'être lucratif. La plupart des hommes l'indifféraient, de toute façon.

La plupart, mais pas celui-là. C'était même plutôt surprenant après toutes ces années d'être auprès d'un homme dont la seule présence tiédissait l'air alentour. Surprenant et plutôt agréable.

Mais elle n'était pas là pour rencontrer un homme, que ce soit lui ou un autre.

— C'est un ranch familial, si j'ai bien compris ?

Trey entendit à peine la jeune femme tant elle l'hypnotisait.

En dépit du long pull ample qu'elle portait et qui dissimulait Dieu seul savait quelles imperfections, Meg irradiait un magnétisme irrésistible. Il était accoutumé aux jolies femmes, mais celle-là l'ensorcelait littéralement, d'autant que dans les profondeurs vertes, voilées d'appréhension en cet instant, vacillait une curieuse flamme, singulièrement hypnotique.

D'un doigt hésitant, il lui effleura la joue. Sa peau couleur de pêche était encore plus douce qu'il ne l'avait imaginé. Et Dieu sait que son imagination l'avait taraudé sur le trajet de retour de San Antonio cet après-midi, après avoir rendu visite à l'hôpital à ses deux vachers blessés.

— Vous ne vous mettez pas beaucoup au soleil, n'est-ce pas ? observa-t-il d'une voix si rauque qu'il s'en étonna.

— N... non, bredouilla-t-elle dans un murmure.

Trey ne put retenir un sourire. Il la troublait, c'était évident, mais son cœur à lui aussi venait de manquer un battement.

Il s'approcha encore, aimanté par ses grands yeux écarquillés. Une voix, dans les recoins de sa conscience, lui souffla que ce n'était pas une conduite appropriée à l'égard d'une cliente, mais en vain. Son regard tomba sur ses lèvres. Pleines et aussi mûres que des fraises, elles invitaient à la dégustation, et son corps, déjà, réagissait en conséquence.

Impuissant à se maîtriser, il enroula les doigts d'une main autour de sa nuque, son pouce reposant à la base de sa gorge, là où battait son pouls.

Il s'apprêtait à incliner la tête en réponse à la silencieuse supplique de ces lèvres, lorsque la stridulation d'un Klaxon l'immobilisa à quelques centimètres à peine de son but.

Meg sursauta, et le moment fut perdu.

Il laissa retomber sa main, puis leva les yeux.

Un van équipé d'une longue remorque remontait l'allée du *Triple B* dans un nuage de poussière.

— Chace est de retour, murmura-t-il.

— Chace ?

— Avec de nouveaux chevaux, précisa Trey, non sans ajouter avec un sourire : mais vous pourrez garder Clair de Lune, si vous voulez.

— Euh, merci, bredouilla-t-elle. Enfin, je suppose.

— Ne vous inquiétez pas, vous vous y mettrez vite. Et puis, c'est Ellie qui va donner les leçons désormais.

Du moins l'espérait-il. Parce que dans le cas contraire, il doutait de pouvoir garder les idées suffisamment claires pour s'occuper du ranch comme il le devait.

— Je ferais mieux d'aller l'aider à décharger, reprit-il.

— Bien entendu, repartit-elle. Je veux dire, après tout, votre travail n'est pas de me tenir compagnie.

— Même un cow-boy a le droit de décompresser de temps en temps, commenta-t-il avec un petit rire.

Puis il prit congé d'un geste de l'index à son chapeau.

— N'oubliez pas le feu de camp ce soir, lui rappela-t-il comme elle s'éloignait.

Il eût pu jurer l'avoir vue trébucher, ce qui lui arracha un nouveau sourire.

Il la troublait réellement. Mais à quoi bon, puisqu'il s'était promis de rester à distance ? Au lieu de quoi, lorsqu'il l'avait repérée aux abords de la prairie, il l'avait rejointe. Pourquoi diable ?

60

Peu désireux de s'appesantir sur l'irrationalité de sa conduite, il se hâta d'aller rejoindre son frère à l'arrière de la remorque.

— Pas de problème ?

— Aucun, affirma Chace avec un sourire.

Trey exhala un soupir de soulagement.

— Alors, il faut croire que les choses s'arrangent enfin !

— Quelque chose ne va donc pas ? s'alarma son frère. En dehors de l'accident avec le taureau, je veux dire. Ellie m'en a parlé. Sûr que c'était pas le moment et que ça t'ajoute du boulot. Mais t'as pas l'air de t'en plaindre, conclut-il avant de monter dans la remorque, non sans l'avoir gratifié auparavant d'un coup de coude dans les côtes.

— Qu'est-ce que c'est censé vouloir dire ? grommela Trey en s'élançant après lui.

Il dut aussitôt reculer, Chace manœuvrant un des chevaux pour le faire sortir, et il n'obtint sa réponse que lorsque son frère esquissa un signe de tête en direction des bungalows.

— Je t'ai vu là-bas, p'tit frère. Une nouvelle pouliche à ajouter à ton écurie ?

Trey ouvrit la bouche, puis la referma aussitôt. Nier ne lui vaudrait de la part de son frère qu'un franc éclat de rire. Au lieu de quoi il préféra rétorquer avec un haussement d'épaules :

— Autant que mon charme se rouille pas ! Il y a eu un temps, en tout cas, où tu aurais pu prendre des leçons !

— Plus besoin ! rétorqua son frère avec un regard en direction du ranch. Je me débrouille très bien sans ton aide.

— Tu as juste eu la chance de tomber sur la femme qu'il te fallait, commenta Trey. Ma chance à moi, je préfère la miser sur le ranch plutôt que sur des créatures aussi ombrageuses que les femmes !

Chace lui décocha une bourrade dans le dos, puis entraîna le cheval vers l'écurie.

— T'inquiète pas. C'est juste que t'as pas encore trouvé la bonne.

— Peut-être que j'en ai trop trouvé, au contraire ! répliqua Trey avec un petit rire d'autodérision. Mais regarde le bon côté des choses : si je me consacre entièrement au ranch, et que l'argent commence enfin à rentrer, Ellie et toi pourrez enfin fonder une famille !

— T'inquiète pas pour ça ! lança son frère par-dessus son épaule. On s'prive pas pour s'entraîner en attendant.

Deux hommes vinrent les aider, et les nouvelles bêtes furent conduites à leurs stalles en un rien de temps. Chace, alors, sortit la facture de son porte-documents.

Un coup d'œil suffit à Trey pour voir qu'il avait dépassé le budget.

— Les prix n'étaient pas ce qu'on pensait, expliqua Chace en écho à ses pensées. Mais j'ai encore en réserve les gains de mon dernier championnat, ça compensera.

— Pas question. Je t'ai dit lorsque tu t'es lancé là-dedans avec moi que tes gains ne serviraient pas à renflouer le ranch, décréta Trey, bien qu'il ne soit pas certain de pouvoir joindre les deux bouts à la fin du mois.

— Mais c'est moi qui ai décidé de dépenser plus, objecta son frère.

— Un accord est un accord, lui rappela-t-il d'un ton sans appel. Bon, je ferais mieux d'aller consigner ça tout de suite dans le livre de comptes. En l'absence de Sherry, ça pourrait s'égarer. Et on n'a pas besoin d'un trou dans la comptabilité en plus du reste !

Sur quoi il prit la direction du ranch.

Il avait encore à faire avec les clients, à condition toutefois de demeurer à bonne distance de la

63

toute dernière arrivée. A la fin de la semaine elle partirait, et il l'oublierait. Ça valait mieux que de perdre du temps à se laisser mener par ses hormones, alors que l'avenir du *Triple B* était en jeu !

Installée sous sa véranda, ce soir-là, Meg attendait Trey. Lorsqu'elle l'aperçut enfin, elle se leva de son fauteuil à bascule avec une grimace.

La leçon d'équitation ne lui avait pas seulement appris à monter sur un cheval. Elle savait désormais que les équidés étaient préjudiciables aux parties les plus sensibles du corps humain ! Et aussi ce qu'il lui restait à faire.

Une fois en mouvement, heureusement, elle parvint à marcher sans trop de peine et atteignit les marches de la vaste véranda du ranch en même temps que lui.

— Auriez-vous une minute ? J'aimerais vous parler de la chevauchée de samedi, débuta-t-elle. Je m'y suis inscrite, mais…

Il s'appuya nonchalamment contre la rambarde, les bras croisés.

— Vous aimerez, je vous le garantis, observat-il, l'ombre d'un sourire aux lèvres.

— Satisfaite ou remboursée ? ne put-elle s'empêcher de le taquiner.

L'espace d'une fraction de seconde, l'ébauche de sourire s'évanouit, puis Trey sourit de nouveau, à pleines dents cette fois.

— Je doute qu'on en vienne là.

— C'est que… En fait, j'aimerais me désister, balbutia-t-elle précipitamment avant de changer d'avis.

Trey la dévisagea un long moment, ce qui lui donna envie de tourner les talons et s'enfuir loin, très loin, jusqu'en Indiana, par exemple.

— Si vous vous asseyiez une minute ? proposa-t-il.

Il désignait derrière elle une élégante balancelle à l'ancienne, toute de bois, et l'espace d'un instant, elle fut tentée. Malheureusement, dans l'immédiat, l'idée de s'asseoir où que ce soit lui était douloureuse.

— Non, merci, répondit-elle sans le regarder. Je préfère rester debout.

Le sourire, alors, tressauta sur les lèvres de Trey, puis un son étrange s'échappa de sa poitrine. Et, à sa grande humiliation, il se mit à rire à gorge déployée.

— Ça arrive à tout le monde, vous savez !

Il se pencha et prit au sol un coussin, qu'il épousseta puis posa sur l'assise de la balancelle.

— Tenez, ça aidera. Venez donc vous asseoir, et dites-moi pourquoi vous ne voulez plus participer à cette chevauchée. En dehors des… euh, désagréments dont vous souffrez, je veux dire.

Difficile de refuser après tant de délicatesse de sa part !

Avec un soupir intérieur, Meg s'installa avec lenteur sur le coussin, déterminée à servir à Trey toutes les raisons qui lui viendraient à l'esprit, valables ou pas.

Mais il vint prendre place à côté d'elle, et toute raison la déserta.

— Le meilleur moyen de se guérir de ce genre d'ennuis, c'est de remonter aussitôt en selle, tout comme quand on tombe de cheval, expliqua-t-il. D'où la présence du bidet dans votre salle de bains. Un bon bain de siège vous fera le plus grand bien.

— Mais ça n'améliorera pas mes compétences en équitation, objecta-t-elle. Et nous savons tous deux qu'il n'y a pas plus inexpérimenté que moi !

— Rien qu'une ou deux leçons particulières ne

puissent régler, répondit-il, d'une voix légèrement voilée dont elle reconnut la nuance suggestive. Mais ce qu'elle remarqua aussi, c'est qu'à peine ces paroles prononcées, il s'écarta d'elle.

— Pour être franche, fit-elle mine de confesser, les yeux fixés sur l'extrémité de ses tennis, je ne peux pas me permettre cette dépense supplémentaire.

Un bref silence s'ensuivit, puis il répondit :

— Cadeau de la maison.

Flûte ! Que faire, à présent ? Les leçons particulières ne solutionneraient pas son principal problème, à savoir lui. Aucun homme ne l'avait encore affectée à ce point !

Mais elle ne pouvait pas non plus lui avouer que ce qu'il lui inspirait était totalement hors de son champ d'expérience.

— Ne ratez pas cette excursion, reprit Trey. Jamais vous ne vivrez rien de tel. Cette première chevauchée dans les grands espaces, loin de tout, ça ne se décrit même pas. Et se réveiller ensuite au milieu de la nuit avec les étoiles au-dessus de sa tête, si près qu'on pourrait presque les toucher... Non, vraiment, il faut le faire.

— Vous êtes un sacré bonimenteur, dites donc ! commenta-t-elle avec un sourire.

Il haussa ses larges épaules.

— Rien de plus facile, parce que c'est la stricte vérité, observa-t-il, le regard étincelant. J'adore ce ranch et cette vie, j'ai vraiment envie de la faire partager.

Comment décevoir un tel enthousiasme ? songea Meg. Peu importait qu'elle y risque sa tranquillité d'esprit, son cœur, et peut-être même son avenir.

— D'accord, j'accepte votre offre, pour les leçons. Mais une seulement, ajouta-t-elle à la vue d'une lueur de triomphe dans ses yeux. Je m'en voudrais de vous faire perdre votre temps.

Elle se pencha ensuite en avant, prête à endurer les douloureux tiraillements de ses courbatures, mais déjà Trey se levait et lui tendait la main.

— Doucement. Et n'oubliez pas de prendre ce bain avant le dîner. Vous ne le regretterez pas, vous verrez.

Ce qu'elle regretterait certainement, par contre, se désola Meg à part elle, ce serait d'avoir si stupidement cédé à son charme, lorsque le temps viendrait d'entreprendre le long trajet de retour jusqu'en Indiana !

\*\*

Lorsque le téléphone sonna à côté de son coude, Trey le foudroya d'abord du regard, le mettant au défi de lui apporter davantage de mauvaises nouvelles. Puis il décrocha et aboya :

— Ranch-Hôtel *Triple B*, j'écoute !

— Le triple *B*, ça doit être pour Bourru ! commenta une voix à l'autre bout du fil, suivie d'un grand rire.

Un sourire remplaça aussitôt le froncement de sourcils de Trey.

— Nom d'un chien, Dev ! Comment va ?

— J'ai pas à me plaindre, gamin.

En d'autres circonstances, il aurait pris la mouche à cette appellation, mais depuis le temps que Chace et lui n'avaient plus eu de nouvelles de leur frère, peu importait. Balançant ses santiags sur le dessus du bureau, il se carra dans son fauteuil.

— Tu appelles pour annoncer ton retour, j'espère ?

— Chaque chose en son temps, répondit Dev après une légère hésitation. J'ai plutôt des nouvelles pour toi.

Trey sentit les muscles de sa mâchoire se crisper. Des nouvelles ? Il doutait de pouvoir en supporter davantage cette semaine. Surtout si elles concernaient leur ancien voisin, ce qu'il soupçonnait.

— A propos du procès ?

— Non, j'attends toujours l'appel de l'avocat. Jimmy Bob est vraiment fou d'insister. Tous les arpents de ce ranch nous appartiennent, sans exception !

A l'aide d'une profonde inspiration, Trey écarta la pensée de James Robert Staton, mieux connu depuis les dernières années sous le sobriquet de J.R, puis il relâcha son souffle en une lente expiration.

— Alors, ces nouvelles ? Bonnes ou mauvaises ?

— Tout dépend de la façon dont se porte le *Triple B*.

— Qu'est-ce que tu veux dire ? questionna Trey, tout en appréhendant la réponse.

Dev ne répondit pas immédiatement, et il perçut en arrière-plan une conversation étouffée.

Devon Brannigan ne parlait jamais de sa vie. Même Chace, leur aîné, n'avait aucune idée de l'endroit où son cadet se trouvait ou même de ce qu'il faisait.

— Il faut que je me dépêche, reprit hâtivement Dev. Je viens d'apprendre que *Trail's End*

70

*Magazine* vient de vous envoyer un journaliste pour évaluer le *Triple B*. C'est peut-être le coup de pouce dont tu as besoin.

Une vague d'appréhension glaça l'échine de Trey. *Trail's End* était l'un des magazines de voyages les plus lus du pays. Une bonne critique assurerait le succès du ranch, mais une mauvaise, en revanche…

Il laissa lourdement retomber ses pieds au sol.

— Quand ?

— Pour autant que je sache, il doit déjà être là.

L'appréhension se diffusa dans tous ses os.

Bon sang ! Ça n'aurait pas pu arriver à un autre moment ? Après six bons mois d'exploitation, par exemple ? Le *Triple B* avait en effet besoin d'une bonne publicité pour attirer la clientèle, mais le terme crucial, en l'occurrence, c'était « bonne » ! Or, avec deux de ses vachers en arrêt maladie et tout le reste qui allait à vau-l'eau, sans mentionner son irrationnelle obsession pour Meg Chastain, le ranch-hôtel pouvait tout à fait faillir à ce test !

— Quel est le nom de ce journaliste ?

— Diable, j'en sais rien, Trey, maugréa son frère. Ils opèrent toujours incognito pour éviter le léchage de bottes. Mais t'es pas bête, frérot, tu le démasqueras vite.

Les yeux clos, Trey ravala un juron de frustration. Il ne manquait plus que ça ! Autant tout plaquer tout de suite, que le *Triple B* ne soit jamais qu'un rêve impossible. Histoire de prouver à ses frères aînés, une fois encore, que le dernier rejeton de la famille n'était décidément bon à rien !

— Trey ? Tu es toujours là ?

Les coudes sur la table, Trey se passa une main sur le visage.

— Ouais. Merci, Dev. On va s'en charger.

— Je sais bien. Ecoute, je dois y aller. Donne le bonjour à Chace, tu veux ? Et bonne chance. J'attends avec impatience cet article et le classement cinq étoiles.

— Merci, murmura Trey avant que le déclic, de l'autre côté de la ligne, n'annonce la fin de la conversation.

De la chance, il allait en avoir vraiment besoin !

Non seulement il avait été assez idiot pour offrir à Meg des leçons particulières — et gratuites, en plus, alors qu'ils avaient besoin du moindre centime supplémentaire ! — mais voilà qu'à

72

présent, il lui fallait trouver le temps de jouer les détectives ! Nom d'un chien ! Pourquoi ne pouvait-il donc pas se tenir à l'écart de cette femme comme il se l'était promis ?

Empoignant derrière lui la flasque de bourbon, il s'en versa un verre puis alla se poster à la fenêtre. Les yeux fixés sur les bungalows, il sirota une longue gorgée du liquide, laissant l'alcool lui brûler la gorge et les entrailles. Cela eût dû lui éclaircir l'esprit, et pourtant non.

Alors, tournant les yeux en direction d'un portrait sur le mur, il sourit au visage familier qui le regardait et leva son verre pour le saluer.

— T'inquiète pas, grand-père. Je ne laisserai pas tomber. Ce n'est pas pour rien qu'on m'a baptisé comme toi et papa.

Après tout, il n'était pas dit qu'un invité mystère ait raison de lui, et une femme encore moins !

# 4.

Alors qu'elle contemplait les flammes vacillantes du feu de camp nocturne, Meg releva les yeux et surprit de nouveau Trey à la regarder. Il n'avait cessé de le faire tout au long du dîner déjà, sans toutefois s'approcher d'elle pour lui parler.

Ce qui était plutôt préférable, n'est-ce pas ?

Bien entendu ! Elle était là pour effectuer un certain travail, et il ne lui restait que quatre jours et demi pour obtenir certaines informations sur le *Triple B*. Et malheureusement pas la moindre idée de la façon de les obtenir !

Découragée, elle plaça ses coudes sur ses genoux et cala son menton dans ses paumes.

Peut-être avait-elle eu tort de se croire de taille pour cette mission. Qu'est-ce qui lui avait pris d'affirmer à Géraldine qu'elle avait l'expérience des ranchs ? Alors que le peu qu'elle en savait, elle ne le connaissait qu'au travers des rediffu-

74

sions de *Bonanza* ! D'un autre côté, sa patronne n'avait guère d'autres options, et...

— Je viens vous présenter quelqu'un.

Arrachée à ses pensées, elle vit Trey planté devant elle, accompagné d'une petite femme blonde. Etait-il donc fiancé ? Voire même marié ? Non, ce n'était pas possible, sans quoi il ne s'intéresserait pas à ce point à elle. A moins qu'il soit un véritable casanova version cow-boy ?

La femme lui tendit la main.

— Bonsoir. Je suis Ellie, l'épouse de Chace. Que vous connaissez déjà, peut-être ?

— Non, pas encore, répondit Meg. Mais vous êtes le professeur d'équitation, n'est-ce pas ? Est-ce vous qui donnez la leçon, demain ?

— Normalement oui, répondit la jolie blonde. C'est mon travail, de toute façon, mais notre secrétaire est absente depuis deux jours, et il m'a fallu la remplacer au pied levé, ce qui n'a pas vraiment plu à Trey, ajouta-t-elle avec un regard narquois à l'adresse de ce dernier. J'ai cru comprendre que la leçon d'aujourd'hui était votre toute première expérience d'équitation ?

— Hélas oui, et une certaine partie de mon anatomie s'en ressent amèrement ! ironisa Meg.

— Les débuts sont parfois un peu douloureux, repartit Ellie avec un franc éclat de rire.

— De quand datent les vôtres ? s'enquit alors Meg.

— Ellie était championne de rodéo avant de se sacrifier à sa vie de femme mariée, répondit Trey à sa place.

— Sacrifice, penses-tu ! répondit la jeune femme. Dis plutôt qu'il était grand temps que je prenne ma retraite !

— Excusez-nous, Meg, reprit Trey, le devoir nous appelle.

— Encore et toujours ! se plaignit sa compagne. J'ai été ravie de vous rencontrer. A demain pour la leçon, donc.

— En espérant que je me sois un peu remise d'ici là ! plaisanta Meg.

Puis elle les regarda se joindre à d'autres employés qui se dirigeaient vers ce qui devait être le bureau du patron. Elle trouva cela étrange, mais à moins de les suivre et d'épier par la fenêtre, elle n'avait aucun moyen de savoir ce qui se passait. Avec un peu de chance, peut-être apprendrait-elle quelque chose par ce Bufford Brannigan, le patron en question, pour peu qu'elle parvienne enfin à le trouver !

— Alors, ce journaliste, quelqu'un de vous voit qui ça peut être ? questionna Trey.

Pete se gratta le cou, puis se racla la gorge.

— Y'a bien un gars.

— Qui ça ? s'empressa de demander Trey, heureux de disposer déjà d'un indice.

— Il s'appelle Emery. Richard, le prénom, je crois. Le type à qui je parlais au feu de camp.

Trey consulta la liste des clients.

— Ah, voilà. Richard Emery, Illinois. A ce qu'il dit, du moins. Faudrait vérifier sa plaque d'immatriculation. Qu'est-ce qui te fait penser que c'est lui ?

— Parlez-lui vous-même, vous comprendrez ! répliqua Pete en s'esclaffant.

— Le genre blanc-bec, tu veux dire ? devina Trey. D'accord, je vais m'occuper de cet Emery. Si c'est bien lui, nous allons lui montrer ce que c'est qu'un vrai ranch et décrocher ce classement cinq étoiles. Merci, Pete.

— Y'a pas de quoi.

— Bichonnez-le bien, surtout, enjoignit Trey aux autres employés, comme tous se préparaient à partir.

Puis, quand tout le monde fut sorti à l'exception de son frère et de sa belle-sœur, il s'adossa à son fauteuil et observa :

— C'est le moment ou jamais de faire nos preuves.

— Es-tu certain que c'est ce Emery ? s'enquit Ellie. Je veux dire, ça pourrait être n'importe qui, n'est-ce pas ? Ne devrais-tu pas garder un œil sur les autres aussi, au cas où ?

Trey se redressa puis empoigna son Stetson.

— Je n'en ai pas la preuve, bien sûr, mais je sais juger les gens, sinon je ne serais pas dans ce métier, affirma-t-il.

Non sans se demander pourquoi, dans ce cas, il s'interrogeait toujours sur une certaine Meg Chastain.

— De toute façon, il n'y a rien qui cloche au niveau du ranch, observa Chace. Les clients sont contents, n'est-ce pas ?

— Enchantés, même, répondit Trey, tandis qu'Ellie hochait la tête pour le confirmer. Je veux juste veiller à ce que cet Emery ait la meilleure impression possible.

— Tu te débrouilles très bien avec les invités, p'tit frère, le rassura son aîné. Mais si le *Triple B* doit gagner un bon classement, autant que ce soit honnêtement. Et pas par léchage de bottes !

— Je suis tout à fait d'accord, mais…

— Bien, trancha Chace, se redressant à son tour et aidant sa femme à faire de même. Dev a-t-il dit quelque chose à propos de J.R ?

— Non, simplement qu'il attendait toujours des nouvelles de l'avocat, l'informa Trey avec un petit rire sans joie.

— C'est pas plus mal que ce soit Dev qui s'en occupe, conclut Chace. J'sais pas comment, mais j'ai comme l'impression qu'il a des relations dans le milieu.

— Va savoir, répondit Trey.

Puis, comme le couple franchissait le seuil, il songea à ajouter qu'il était vraiment primordial que le *Triple B* décroche une excellente appréciation de la part de *Trail's End*. Mais il se ravisa. Son frère avait beau ne pas être d'accord, il avait, lui, la ferme intention de passer autant de pommade que nécessaire à ce Richard Emery. Et ce, dès à présent.


Epuisée et les muscles fessiers endoloris, Meg décida de se retirer tôt.

Du moins la soirée n'avait-elle pas été un total gâchis, se félicita-t-elle en repartant vers son bungalow, puisqu'elle avait fait la connaissance d'Ellie, l'épouse d'un des trois Brannigan.

— Perdue dans vos pensées ?

La profonde voix de baryton de Trey la fit frissonner, tandis que des ondes de chaleur irradiaient en elle.

— Oui, je… je méditais, bredouilla-t-elle — il marchait si près d'elle qu'elle en oubliait presque de respirer. Merci de m'avoir présenté Mme Brannigan. C'était vraiment très aimable de sa part d'avoir pris la peine de me parler.

— Voyons, Meg, elle n'a pris aucune peine du tout ! C'est juste notre manière d'être. Amicaux, tout simplement.

Elle manqua s'étrangler : jusqu'ici, il s'était lui-même montré plus qu'amical !

Elle se tourna vers lui avec un sourire moqueur.

— Tous les cow-boys texans sont-ils donc aussi amicaux que vous ? railla-t-elle comme ils atteignaient son bungalow.

Elle se sut en mauvaise posture à l'instant où Trey lui releva le menton d'un doigt pour plonger son regard dans le sien.

— J'espère bien que non, répondit-il.

Ils demeurèrent debout ainsi l'un en face de

l'autre pendant ce qui lui parut être une éternité, jusqu'à ce qu'elle reprenne d'une voix quasi inaudible, de crainte qu'il ne perçoive les battements affolés de son cœur :

— Pourquoi pas ?

Brûlant, le souffle de Trey lui caressa le visage.

Elle sentit ses os se liquéfier et dut s'appuyer contre sa porte pour ne pas finir en flaque à ses pieds. Incapable d'aligner deux pensées cohérentes, elle ne s'attacha plus qu'à une chose : inspirer, expirer, inspirer, expirer.

De l'autre main, il remonta ses lunettes sur son nez, puis plaisanta :

— Peut-être devrais-je vous appeler Magoo.

— Magoo ?

— Mmm. Vous aimeriez cela ? questionna-t-il dans un chuchotement qui ricocha tel un galet sur les ondes de chaleur qui la parcouraient.

— M… Meg suffira.

— Vos désirs sont des ordres, Meg, chuchota-t-il avec une intonation qui, cette fois, la fit carrément frissonner.

— Vous avez froid ?

Froid ? Comment pourrait-elle avoir froid alors qu'il se tenait si près d'elle ? C'était tout juste si les verres de ses lunettes ne s'en embuaient pas !

— Chaud, alors ? devina-t-il.

Il la relâcha enfin, recula d'un pas, et cette fois elle frissonna de la perte de sa chaleur.

— Oui, moi aussi, confessa-t-il avec un profond rire.

Puis il dévala les marches et disparut dans la nuit.

Meg laissa échapper un douloureux soupir. Avec de telles distractions, comment se concentrer sur sa mission ?

— Où étiez-vous donc ? lança Trey le lendemain matin. Vous avez manqué la leçon !

Meg referma sa portière puis leva les yeux sur lui, un peu surprise par la nuance d'accusation de son ton.

— J'ai prévenu Ellie que je n'y participerais pas, se défendit-elle. Est-ce vous qui l'avez donnée parce que votre secrétaire vous a encore fait faux bond ?

— Non, grommela-t-il, plus préoccupé par cette escapade de la part de Meg que par le troisième jour d'absence de sa secrétaire.

Il n'ignorait pas qu'il devait avoir l'air d'un

gamin boudeur, mais peu lui importait. Quelle angoisse, ce matin, lorsqu'il n'avait pas trouvé Meg au petit déjeuner, et pas plus dans le corral avec Ellie !

— Ellie ne m'a jamais dit que vous deviez vous absenter ! insista-t-il avec véhémence.

— Elle a dû oublier. Regardez, annonça Meg, brandissant un grand sac plastique. Je suis allée m'acheter des bottes à San Antonio dans la boutique qu'elle m'a conseillée. Je me suis dit qu'il valait mieux que j'en porte avant de regrimper sur un de vos chevaux !

— J'aurais pu vous y emmener, observa Trey.

— Je n'ai pas voulu vous déranger.

Il s'abstint de justesse d'affirmer que ç'aurait été un plaisir.

Que lui arrivait-il donc ? D'ordinaire, peu lui importait ce que faisaient ses petites amies lorsqu'elles n'étaient pas avec lui ! Alors pourquoi se préoccupait-il de l'emploi du temps de Meg Chastain ? Après tout, ce n'était qu'une cliente comme les autres.

Au lieu de quoi il suggéra :

— Maintenant que vous avez ces bottes, il est

peut-être temps de nous attaquer à notre leçon particulière…

— Vous en êtes sûr ? Je veux dire, si vous n'êtes pas trop occupé…

— Plus tôt nous commencerons, plus vite vous pourrez vous mesurer à Ellie, plaisanta-t-il.

Au son du rire délicieusement cristallin de la jeune femme, il s'épanouit. Hormis ses étranges goûts vestimentaires, n'y avait-il donc rien en elle qu'il ne trouvât pas délicieux ?

— Je me contenterai d'être capable de tenir en selle et d'avancer ! repartit-elle gaiement.

— Allez vous changer, je vais préparer les chevaux.

Il ne lui fallut que quelques minutes pour seller Tentation, son cheval, ainsi que Clair de Lune, après quoi il alla attendre la jeune femme devant le corral, un pied sur la barrière.

— Z'avez rien d'autre à faire, patron ? lança Pete, qui venait dans sa direction. J'croyais que vous deviez vous occuper tout personnellement de ce gars, là, Emery.

— Qu'est-ce que tu crois que je fais ? rétorqua Trey.

— Pas grand-chose, répondit Pete avec un petit rire, puisqu'il est même pas dans les parages !

Trey foudroya son chef vacher du regard.

— Et qu'est-ce que t'en sais ?

Cette fois, le vieux cow-boy se plia en deux de rire puis observa entre deux quintes de toux :

— J'ai plutôt l'impression que votre temps, vous le passez surtout avec cette Meg Chastain. Elle vous a tapé dans l'œil, hein ?

Trey n'ignorait pas que s'il niait, le bougre n'en finirait plus de l'asticoter. Aussi se contenta-t-il de hausser les épaules.

— C'est bien c'que j'pensais, commenta Pete avant de s'éloigner. J'vous souhaite pas bonne chance, z'avez toujours su y faire avec les femmes ! Tenez, la v'là.

En effet, Meg tournait au coin de l'écurie, mais à son grand désappointement, elle portait pour ne pas changer un T-shirt dix fois trop ample qu'elle devait tenir du videur du bar le plus louche du coin !

— Nerveuse ? questionna-t-il lorsqu'elle l'eut rejoint.

— Moins qu'hier.

— Alors, au travail. Vous croyez pouvoir monter seule en selle ?

Elle se mordit la lèvre, hésitante.

Dieu qu'il brûlait d'envie de l'embrasser ! Cette leçon particulière allait lui coûter cher.

Comme il la fixait, incapable de s'en empêcher, elle prit une profonde inspiration et carra les épaules.

— Je peux au moins essayer, annonça-t-elle avec un certain cran.

Il lui fallut deux essais, mais le second lui permit de se hisser gracieusement en selle, avec un air ravi qui arracha un sourire à Trey.

— Et maintenant, faites-le avancer.

Les traits figés de concentration, elle incita Clair de Lune à prendre le pas, non sans lui décocher par-dessus son épaule une moue de satisfaction qu'il lui retourna. Il ne s'était pas trompé : sous peu, elle serait une cavalière émérite.

— Essayons le trot, à présent. Regardez-moi faire.

Elle l'observa attentivement, puis l'imita.

— Ouh là, ça secoue ! s'exclama-t-elle sans paraître être déséquilibrée pour autant.

— Alors vous allez préférer le petit galop, lança Trey. Regardez.

Une fois encore, elle maîtrisa aisément l'allure, puis vint s'immobiliser près de lui, légèrement essoufflée par ses efforts.

— Je ne vous fais pas essayer le vrai galop parce qu'il n'y a pas assez de place dans le corral, expliqua Trey. Mais une fois dans la prairie, samedi, vous pourrez le lâcher.

— J'ai hâte d'y être, maintenant que je n'ai plus peur, avoua-t-elle. Du cheval, j'entends, parce que pour ce qui est de la selle…

— Malheureusement, elle se rappellera à votre bon souvenir ce soir si vous oubliez mes conseils, pour le bain, observa Trey, avant de descendre de sa monture. Allons desseller et bouchonner les chevaux. Ellie serait furieuse si nous lui laissions deux bêtes en sueur.

— Et avec raison ! lança sa belle-sœur, qu'il remarqua alors, juchée sur la barrière.

Elle sauta à terre et vint les rejoindre.

— Laisse, je prends la relève avec Meg. Si tu n'y vois pas d'inconvénient, ajouta-t-elle à voix basse, avec un malicieux sourire que la jeune femme, heureusement, ne surprit pas. Pete te demande au marquage.

Trey s'éloigna à regret. Il avait pris beaucoup de plaisir à cette leçon. En dépit de sa crainte initiale, Meg était douée. Il n'aurait jamais dû en douter, d'ailleurs. N'était-il pas fasciné depuis le début par sa manière de se mouvoir, même lorsqu'elle n'était pas à cheval ? Mais où était la limite à cette fascination, il se le demandait bien !

— Le *Triple B* marche bien, n'est-ce pas ? s'enquit Meg tout en brossant le cheval selon les instructions d'Ellie. Je veux dire, tout a l'air de bien se passer et les clients sont ravis.

— Pas trop mal, confirma Ellie, dissimulée derrière l'étalon de Trey qu'elle pansait. Et si nous accueillons encore davantage de groupes comme celui-ci, ça devrait aller encore mieux. Pour ça, une bonne appréciation dans *Trail's End* nous donnerait un sacré coup de pouce.

Meg retint son souffle. Que répondre sans éveiller la suspicion d'Ellie, si ce n'était déjà fait ?

— *Trail's End* ? se décida-t-elle finalement à questionner, d'une voix un peu voilée.

— Oui, c'est un magazine de voyages destiné aux amoureux des grands espaces, indiqua Ellie avant d'ajouter avec un clin d'œil : ainsi qu'aux nostalgiques de la vie dans l'Ouest. On y parle de ranchs ouverts aux touristes, de réserves indiennes, de sites historiques.

Meg hocha la tête, une innocente expression d'intérêt sur le visage.

— Alors pourquoi n'y mettez-vous pas une annonce ?

— Nous l'avons fait, et nous avons appris hier qu'ils avaient envoyé un journaliste pour une évaluation. Si elle est assez élogieuse, nous aurons davantage de clientèle, c'est sûr.

Il ne restait plus à Meg qu'à poser la question cruciale :

— Et ce journaliste, qui est-ce ?

— Il est là incognito, mais Trey pense qu'il s'agit de Richard Emery, et je dois dire que je suis d'accord avec lui. Cet homme n'arrête pas de poser des questions !

Le soulagement envahit Meg. Elle avait bien joué son rôle, tout compte fait. Personne n'avait perçu la véritable raison de sa présence au ranch. Dieu merci, elle ne s'était pas montrée trop curieuse et ne s'était donc pas trahie. Et mille fois merci à Richard Emery pour l'avoir trop été !

Ceci dit, peut-être était-ce le moment de s'enquérir de...

— Hé, Ellie ! Tu es là ? interpella une voix d'homme à l'entrée de l'écurie.

— Oui, qu'est-ce qu'il y a ?

— Le patron te demande, annonça l'homme, le pouce en direction de l'habitation principale.

— J'arrive ! lança Ellie avant de tendre son étrille à Meg. Vous pensez pouvoir terminer ?

— J'essaierai, promit Meg.

Elle s'acquitta de la tâche sans difficulté, ayant compris que tant qu'elle ne manifestait ni peur ni nervosité, l'animal restait calme. Ayant achevé un flanc, elle s'attaqua à l'autre. Chaque coup de brosse lui procurait davantage de paix.

Curieux qu'une tâche aussi élémentaire puisse l'apaiser à ce point. Elle aimait son travail, mais autant reconnaître qu'il était plutôt stressant et que cette pause était la bienvenue. Son ascension de simple réceptionniste à ce poste de rédactrice à part entière au *Trail's End* avait pris six longues années, et chacune des étapes lui avait coûté du temps et de l'énergie.

— Crois-tu que ça en valait peine ? murmura-t-elle à Tentation.

— Si vous êtes satisfaite, sans doute, répondit une voix derrière elle.

Elle laissa échapper un cri, qui affola l'étalon.

Avant qu'elle ait pu se rendre compte de ce qui se passait, deux bras puissants l'agrippaient

90

pour la plaquer contre un torse large et tout aussi puissant.

— Eh ! Je ne pensais pas vous effrayer !

Plongeant les yeux dans un familier regard bleu, elle rétorqua dans un souffle :

— Eh bien, c'est fait. Vous pouvez me lâcher, à présent.

— C'est que je ne suis pas sûr d'en avoir envie, répondit alors Trey d'une voix rauque.

Meg eut tout à coup l'impression que l'inspiration qu'elle venait de prendre était sa toute dernière. Les genoux comme gélifiés, elle se sentit sur le point de défaillir.

Trey allait-il l'embrasser ?

Ce n'est que lorsqu'il effleura de ses lèvres ses cheveux postiches qu'elle revint à la vie.

Les deux paumes contre son torse, elle le repoussa fermement puis feignit de tirailler sur les pans de son T-shirt pour se redonner une contenance.

Assez d'hommes l'avaient embrassée pour qu'elle sache qu'elle en était toujours déçue. Elle en était même venue à se demander si elle n'était pas frigide, pensée qu'elle avait bannie de son esprit, plus préoccupée par sa carrière. Du moins jusqu'à ce qu'elle rencontre un certain cow-boy au sourire à tomber à la renverse et aux hanches aussi sexy que celles d'Elvis.

— Meg.

De minuscules décharges électrisèrent ses nerfs tandis que Trey s'avançait d'un pas et lui ôtait ses lunettes.

— Je ne vous ferai aucun mal.

Incapable d'émettre un son, elle secoua la tête, et il la questionna avec un sourire en coin :

— Est-ce que ça signifie que vous me croyez, ou le contraire ?

Meg l'ignorait elle-même. Tout ce qu'elle savait, c'était que si elle laissait les choses aller plus loin, l'un ou l'autre en souffrirait. Ses relations passées le lui avaient appris. Tous les hommes avec qui elle s'était impliquée avaient été déçus, quoique pas autant qu'elle-même. Or, elle ne voulait pas prendre le risque de perdre ce que Trey lui faisait ressentir. Ces sensations excitantes, elle préférait les engranger sans les explorer davantage plutôt que de se retrouver sans rien, hormis le douloureux manque auquel elle s'était désormais habituée.

— Je ne vais pas vous jeter dans la paille pour abuser de vous, affirma-t-il. Ce que je veux seulement, c'est…

Elle retint sa respiration, le regard aussi captif du sien qu'un aimant de l'acier.

— Un baiser, Meg. Rien qu'un baiser, je vous le promets.

Oserait-elle prendre le risque ? s'interrogea Meg, les yeux clos. Elle n'était pas encore décidée lorsqu'il lui encadra le visage de ses paumes calleuses. Mais comme il y avait déjà plusieurs jours qu'elle attendait que les lèvres de Trey touchent les siennes, elle se prépara à la déception habituelle.

Mais au lieu de la sensation de vide qui s'insinuait invariablement dans son âme, une lame de fond de chaleur la balaya tandis qu'il déposait une pluie de baisers taquins et inquisiteurs autour de ses lèvres. Puis, alors qu'elle doutait de pouvoir en supporter davantage, la ferme bouche masculine s'empara enfin de la sienne.

Lorsqu'il caressa de l'extrémité de la langue le tendre renflement de l'intérieur de ses lèvres, elle les entrouvrit avec un soupir. Son approche tendre, circonspecte, était si différente des intrusions soudaines des autres hommes ! Elle s'abandonna contre lui, avide de sentir le moindre centimètre carré de son corps contre le sien. Trey saisit alors ses poignets, amena ses bras autour de sa nuque puis, lorsqu'elle entremêla ses doigts à ses cheveux, laissa échapper une plainte qui se réverbéra en elle et l'enflamma jusqu'à l'âme. Il l'attira davantage encore, moulant leurs deux corps l'un à l'autre tandis que, dans sa bouche, les caresses de sa langue déversaient en elle des rivières de désir.

Hésitante, elle mêla sa langue à la sienne, et son corps de tout entier en trembla.

Combien de temps restèrent-ils ainsi agrippés l'un à l'autre ? Lorsque Trey délaissa ses lèvres pour la courbe de son cou, elle sut qu'elle venait de découvrir le sens du mot passion.

— Nous ne devrions pas, lâcha-t-elle dans un souffle. Quelqu'un pourrait…

Elle ne put terminer sa phrase, car il la bâillonna aussitôt d'un autre baiser. Ses mains remontèrent le long de son dos puis redescendirent, pour remonter encore, ferventes et exigeantes, jusqu'à ce qu'elle brûle de l'urgent besoin de plus, encore plus.

— Bon sang, Meg ! s'exclama-t-il lorsqu'il la relâcha enfin.

Elle accrocha son regard, obscurci d'une passion qu'elle savait égale à la sienne.

— Trey, nous ne… Je ne…

94

— Chut, lui intima-t-il, avant d'effleurer de nouveau ses lèvres avec une douceur qui lui donna envie de pleurer. Je ne désirais qu'un baiser. Rien qu'un baiser. Et à présent, ajouta-t-il avec un sourire presque mélancolique, je dois vous laisser partir parce que…

— Parce que ça ne peut pas aller plus loin, termina-t-elle à sa place.

— Je n'aurais jamais dû vous réclamer ce baiser.

Elle ne put supporter de le regarder dans les yeux, de crainte d'y lire son remords.

— Je le souhaitais aussi, avoua-t-elle.

Il lui releva alors le menton, la forçant à croiser son regard.

— Vraiment ?

L'air, dans la poitrine de Meg, céda la place à une amère désillusion. Une fois encore, elle n'avait pas dû réagir comme la plupart des femmes, et Trey n'avait pas la moindre idée de ce qu'il venait de lui faire ressentir.

— Je crois que je ferais mieux d'aller prendre une douche, éluda-t-elle.

Elle s'arracha à son étreinte et s'apprêtait à pivoter lorsqu'il lui agrippa le poignet et scruta ses traits, une criante expression de regret sur les siens.

— Je suis navré, Meg. Je n'avais pas l'intention de…

— Laissez, ce n'est rien, coupa-t-elle avec un geste désinvolte de la main.

Elle n'aurait pu supporter de l'entendre s'excuser alors qu'il n'était coupable de rien.

La fautive, c'était elle. Elle avait toujours su qu'il lui manquait quelque chose. Tout comme sa mère, qui n'avait jamais réussi à retenir un homme assez longtemps pour forger une relation. Si son père les avait aimées suffisamment toutes les deux, il ne les aurait pas abandonnées alors qu'elle avait à peine deux ans. Et il aurait pris soin d'elle lorsque sa mère était morte quelques années après. Mais ça ne s'était pas passé ainsi.

Le cœur lourd, elle décocha à Trey un sourire qu'elle espérait désinvolte puis s'enfuit de l'écurie, déterminée à ce que cet embarrassant incident ne se reproduise plus.

# 5.

Les yeux fixés sur les flammes du feu de camp, Trey s'interrogeait sur ce qu'il avait bien pu faire de travers.

Depuis ce baiser échangé dans l'écurie, Meg s'évertuait à l'éviter. En ce moment même, elle discutait avec les Henderson comme si de rien n'était. Comme si ce baiser n'avait été pour elle qu'un insignifiant interlude.

Alors que, bon sang, pour lui c'était tout autre chose ! Aussitôt que leurs lèvres s'étaient effleurées, il y avait eu entre eux une sorte d'étincelle. Il n'avait fallu que quelques secondes pour que le feu se propage en lui. Non, vraiment, ce baiser-là ne ressemblait à aucun de ceux qu'il avait connus. Mais lorsque Meg s'était écartée après avoir admis qu'elle le désirait elle aussi, quelque chose avait dû se produire dans sa tête, parce qu'elle l'avait quitté sur un sourire aussi faux qu'une pièce de cent dollars.

Quelle folie de vouloir plus, et surtout d'envisager de s'impliquer avec une femme qui partirait dans quelques jours ! D'ordinaire, ça ne le perturbait pas. Il n'était pas homme à souhaiter s'engager de quelque manière que ce soit, et jamais il ne lui était venu à l'esprit de s'investir dans une relation sérieuse. Il préférait de loin la variété à une diète forcée, du moins en ce qui concernait les femmes.

— Vas-y, continue de m'ignorer, grommela-t-il entre ses dents.

— Tu parles tout seul, p'tit frère ?

Pour toute réponse, Trey laissa échapper un grognement. Inutile de se confier à Chace, il ne comprendrait pas.

— Elle te donne du fil à retordre ?

— Les femmes ne m'en donnent jamais, rétorqua-t-il.

Du moins jamais jusqu'à présent, et il n'était pas dans ses intentions de laisser l'une d'elles commencer. Il gratifia donc non sans peine son frère d'un sourire goguenard.

— Elles m'accuseraient plutôt de leur en donner !

— C'est ce que j'ai cru comprendre, commenta Chace avec un petit rire. Dis donc, demain, c'est la soirée country. Si tu provoquais quelque chose ?

— Bon sang, Chace ! s'exaspéra Trey. Qui te dit que je veux provoquer quelque chose ? Ou même que ce n'est pas déjà fait ?

— Oh. T'es-tu fait envoyer sur les roses, frérot ?

— Certainement pas ! mentit Trey.

— Alors pourquoi n'es-tu pas là-bas à discuter avec elle ? le taquina son frère.

Discuter avec Meg ? A quoi cela l'avance-rait-il ? Il n'avait nullement besoin de mots pour savoir s'il s'était imaginé ou pas sa réaction à leur baiser ! Nom d'un chien, cette réaction, il ne l'avait pas imaginée du tout !

— Je vais te montrer comment un homme doit s'y prendre avec les femmes ! décréta-t-il à son frère.

Il sauta sur ses pieds, puis contourna le feu et alla se planter droit devant la jeune femme.

— Comment ça va, les amis ? lança-t-il aux Henderson, son sourire le plus charmeur aux lèvres. Excusez-moi, je vous emprunte made-moiselle quelques minutes.

Sur quoi, sans plus de cérémonie, il agrippa Meg par le poignet et l'entraîna malgré ses protestations.

— Lâchez-moi ! Mais lâchez-moi, à la fin !

Au lieu de quoi, il resserra sa prise et ne cessa de marcher que lorsqu'ils furent hors de portée de voix et de vue. Alors seulement il relâcha Meg, mais pour l'attirer directement dans ses bras.

— Navré, mais il me faut satisfaire ma curiosité, décréta-t-il.

Sans se préoccuper ni de ses mains qui le repoussaient ni de ses protestations, il inclina la tête et captura ses lèvres.

Une seconde à peine s'écoula avant que la farouche résistance de la jeune femme ne se transforme en une ferveur qui lui fit tourner la tête. Elle noua les mains autour de sa nuque, et il l'attira contre lui, avide de percevoir la moindre réaction de son corps. Mais tout ce qu'il décela, ce fut la chaleur qui le consumait lui aussi, avec une intensité qu'il n'avait encore jamais expérimentée. Il avait soif d'elle comme d'une drogue.

A bout de souffle, il dut relever la tête, ce dont il profita pour se ressaisir. Alors il la lâcha et tourna les talons, lançant par-dessus son épaule :

— Et cette fois, ne prétendez pas que ça ne vous a rien fait !

— Trey ! appela-t-elle d'une voix altérée.

Mais il l'ignora et continua de s'éloigner jusqu'à ce qu'il soit certain qu'elle ne le voyait plus.

Elle avait beau l'enivrer, il n'était pas encore dépendant d'elle. Et, bon sang, il n'avait aucune intention de le devenir !

— Quoi ? Qu'est-ce qu'elle a dit ?

A cette exclamation, Meg leva les yeux de son assiette d'œufs brouillés vers l'endroit, à quelques mètres de là, où Trey s'entretenait avec Ellie.

— Qu'ils se sont mariés hier soir, répondit celle-ci, une évidente nuance de frustration dans la voix. Dave et elle se sont enfuis en Louisiane, et c'est de là-bas qu'elle m'appelait.

De là où elle se trouvait, Meg distinguait aisément l'expression d'amertume de Trey.

Son cœur sombra. Manifestement, l'annonce du mariage de cette femme, qui qu'elle soit, le perturbait profondément. Et dire qu'elle était obnubilée par les baisers qu'ils avaient échangés !

Ce matin, elle en frémissait encore, bien qu'elle se soit tournée et retournée dans son lit toute la nuit pour en chasser le souvenir.

Faire preuve d'indiscrétion n'était guère courtois, mais c'est néanmoins ce qu'elle fit, dévorée de curiosité, les yeux fixés sur son assiette mais l'oreille aux aguets.

— Génial ! grommela Trey. Et qu'est-ce que nous sommes supposés faire, alors que nous sommes déjà à court de personnel avec le bétail ?

Meg ne put entendre ce qu'Ellie lui répondait, mais la réaction de Trey fut tout à fait audible et sans appel :

— Je ne suis pas le garçon de courses de service, figure-toi ! J'ai des tas de choses à faire !

— Et moi, j'ai une leçon d'équitation à donner dans un quart d'heure, rétorqua Ellie en haussant le ton. Chace est occupé avec les bêtes, Pete n'est pas disponible et toi non plus. D'autres suggestions ?

— Oui, au moins une ! s'exaspéra Trey. Tordre le cou à Sherry la prochaine fois qu'elle mettra le nez ici !

Ellie secoua la tête.

— Elle ne reviendra pas. J'ai cru comprendre qu'elle démissionnait. Donc nous sommes sans secrétaire jusqu'à ce que nous trouvions quelqu'un d'autre à engager. Mais d'ici là, il faut bien que quelqu'un réponde au téléphone et prenne les réservations, sans parler du reste !

Meg ne s'aperçut qu'elle s'était levée que lorsqu'elle s'entendit proposer :

— Je peux la remplacer, si vous voulez.

Ellie et Trey se tournèrent d'un bloc stupéfaits, puis Ellie s'avança d'un pas vers elle, pour protester :

— C'est très aimable à vous, mais…

— J'aimerais vraiment être utile, insista Meg.

— Ce sont vos vacances, Meg. Merci pour votre générosité, mais je m'en voudrais d'en profiter, décréta Ellie avec un sourire, avant de se tourner de nouveau vers Trey. Nous n'avons qu'à établir un planning pour que chacun s'y mette chacun son tour.

— Et comme ça, rien ne sera fait, commenta Trey avec un froncement de sourcils de plus en plus accentué. Chace serait le premier à te le dire : avant d'être un ranch pour touristes,

103

ce ranch est un ranch tout court, où le travail doit être fait.

Meg, qui n'avait aucune intention de s'en tenir là, insista une fois encore :

— Je vous en prie, laissez-moi vous aider. J'ai déjà été standardiste. Cela ne vous prendra que quelques minutes pour me montrer, et ensuite chacun pourra retourner à ses occupations.

— Je ne sais pas, hésita Ellie.

Mais Trey lui agrippa le bras et l'entraîna aussitôt vers le bureau.

— Soit, je vais vous montrer. Mais contentez-vous de répondre au téléphone, c'est compris ? Ne faites surtout rien d'autre.

— Ellie, lança Meg, lorsque la leçon sera finie, venez me montrer ce qui doit être fait.

— C'est moi qui vais le faire, je vous dis ! hurla Trey.

Elle leva les yeux sur ses sourcils rassemblés l'un contre l'autre et ses lèvres pincées, et protesta :

— Je ne sais pas pourquoi vous êtes dans une telle fureur, mais je n'en suis pas responsable. Alors lâchez-moi, je vous prie !

Actionnant la poignée de la lourde porte de chêne de l'entrée, il la laissa passer et l'achemina le long d'un couloir. Lorsqu'ils furent arrivés à l'arrière de la demeure, Trey ouvrit la porte du bureau puis l'invita d'un geste à y entrer.

Ce qu'elle fit, non sans lui lancer :

— Je cherche seulement à aider, vous savez.

— Merci ! lâcha-t-il avec une évidente mauvaise grâce. Répondez seulement au téléphone, donc, et dites à qui appellera que nous rappellerons plus tard.

— Ça, votre répondeur téléphonique peut déjà le faire, lui fit-elle remarquer.

— Tout le monde n'est pas à l'aise avec ces machins-là, rétorqua-t-il, tournant les talons sans même un regard. Dès qu'Ellie aura fini la leçon, elle viendra vous relayer. Ensuite, nous nous débrouillerons.

Meg hocha la tête. Elle avait la nette impression qu'il la rabrouait, mais qu'avait-elle fait pour le mériter, elle n'en avait pas la moindre idée.

Une fois qu'il fut parti sans un mot de plus, elle inspecta la pièce.

C'était un bureau d'homme. D'un homme de surcroît très occupé, car des piles de papiers et de dossiers encombraient la table de travail. Derrière celle-ci, des rayonnages abritaient des ouvrages relatifs à l'agriculture et à l'élevage, ainsi qu'un ordinateur portable. A côté de la porte, sur un mur, s'étendait une carte de la région. Du moins le crut-elle avant de s'en approcher et de découvrir, impressionnée, qu'elle représentait en fait la superficie du *Triple B*.

Combien de ces grands espaces verrait-elle lors de la chevauchée de samedi ?

Puis le téléphone sonna et elle alla répondre.

— Ranch-Hôtel *Triple B*, Meg à votre service. Que puis-je pour vous ?

— Ici Wayne Garrison des Fourrages Garrison à Stakeout, répondit l'interlocuteur. Sherry n'est pas là ?

— Je la remplace aujourd'hui, monsieur, expliqua Meg, qui n'estimait pas de son ressort d'annoncer que la secrétaire ne reviendrait plus.

— Mazette, mon petit, vous avez de sacrées bonnes manières ! complimenta l'homme à l'autre bout du fil.

Elle le remercia, se retenant à grand-peine de s'esclaffer, puis questionna :

— Puis-je connaître la raison de votre appel, monsieur Garrison ?

106

— Appelez-moi Wayne comme tout le monde. Trey voulait que je le prévienne dès que sa commande arriverait, alors c'est c'que j'fais.

Elle nota le message puis promit de veiller à ce qu'il soit transmis à la personne concernée. Elle raccrochait lorsqu'elle entendit la porte s'ouvrir.

Trey entra, jeta un coup d'œil au désordre inchangé du bureau et exhala un curieux soupir de soulagement.

— Comment ça se passe ?

— Sans problème, répondit-elle. M. Garrison des Fourrages Garrison vous fait dire que votre commande est arrivée.

Trey hocha la tête puis s'approcha de la table de travail.

Elle le regarda fouiller dans une pile de papiers puis une autre. N'y tenant plus, elle tendit la main vers une des piles.

— Si vous voulez bien me dire ce que vous cherchez...

Il écarta aussitôt sa main d'un geste sans appel.

— Je *vais* le trouver.

Ce que Meg commenta d'un soupir d'exaspération, sans se priver toutefois d'ironiser :

— Vous savez, si vos papiers étaient rangés dans le classeur, vous n'auriez pas à tout retourner pour les trouver.

— Ha ! s'exclama-t-il alors avec un sourire de dédain, brandissant ce qui ressemblait à une facture. Vous voyez bien que je trouve ce que je cherche !

Meg leva les yeux au plafond.

— Si ce n'est que vous venez d'y passer deux minutes, alors que ça n'aurait dû vous prendre que cinq secondes.

— Qu'est-ce que vous en savez ?

Meg appuya les deux paumes sur la table de travail et se pencha vers lui.

— Je travaille dans des bureaux depuis mes seize ans, répliqua-t-elle, j'estime que c'est suffisant pour savoir ce qui fonctionne et ce qui ne fonctionne pas !

Puis elle se redressa et balaya l'air de la main.

— Est-ce que celui-ci est toujours dans cet état ? Ou seulement depuis que Sherry est partie ?

Trey baissa la tête, ce qui dissimula son visage dans l'ombre de son Stetson.

— Toujours dans cet état, je dirais, marmonna-t-il.

— Quelle était la fonction de Sherry, exactement ? insista-t-elle.

Trey haussa les épaules.

— Vous voulez dire qu'elle n'était payée que pour répondre au téléphone ? Je ne l'ai jamais réellement vue occupée à autre chose, admit-il, à part se faire les ongles. Mais pour autant que je sache, elle faisait ce qu'elle avait à faire.

Saisissant une pile de dossiers, Meg se dirigea vers le meuble classeur à quatre tiroirs qui occupait un coin de la pièce.

— Je vais commencer par ça.

Mais comme elle ouvrait le premier tiroir, Trey tendit la main pour récupérer les dossiers.

— Vous n'allez commencer par rien du tout, décréta-t-il.

Elle tourna la tête. Il était si proche d'elle qu'elle percevait la chaleur de son corps.

Tout ce qu'elle avait à faire était de s'abandonner contre lui. Ce qu'elle désirait de tout son cœur, mais qu'elle ne fit pas, naturellement.

— Et pourquoi pas ? protesta-t-elle d'une voix étranglée.

De son bras libre, il lui enserra la taille.

La porte s'ouvrit alors de nouveau, cette fois sur la voix d'Ellie.

— Meg, navrée, je…

Meg se figea, prise au dépourvu.

Plus réactif, Trey la lâcha promptement puis fit mine de refermer le tiroir ouvert, coinçant ce faisant un dossier, pour en ouvrir un autre.

— Je montre à Meg où vont ces dossiers, grommela-t-il.

— Oui, je me suis dit que je pourrais essayer de ranger un peu, enchérit Meg d'une voix peu convaincante.

Libérée, elle se faufila entre Trey et le meuble et alla chercher d'autres dossiers. C'est seulement alors qu'elle risqua un regard en direction d'Ellie qui, sur le seuil, arborait un large sourire entendu.

Cramoisie, Meg alla classer les quelques dossiers qu'elle avait en main, tandis que Trey opérait une prompte retraite tel un gamin pris en faute et enfilait le couloir comme s'il avait la cavalerie à ses trousses.

— Eh bien, dit Ellie, étouffant un gloussement derrière sa main, laissez-moi vous aider alors.

— Je peux m'en charger seule, déclina Meg.

110

Vous savez, Trey refuse que je fasse autre chose que répondre au téléphone, mais si vous me montrez comment procéder, rien ne m'empêche de prendre aussi des réservations.

— Tout est dans la plaquette publicitaire, l'informa Ellie avec un geste en direction d'une brochure semblable à celle que lui avait remise Géraldine. Et il doit y avoir un carnet de réservations sur le bureau, ou peut-être dans le tiroir. Je ne vois pas pourquoi vous ne pourriez pas le faire, et je vois encore moins ce qui turlupine Trey. Le fait que vous sachiez déjà comment vous y prendre, peut-être. Sherry n'était pas très efficace, mais c'est la seule à s'être présentée pour le poste.

— J'aurais plutôt cru que n'importe qui serait ravi de travailler ici.

Ellie secoua la tête.

— C'est bien trop loin de tout, et nous ne pouvons pas encore nous permettre d'offrir un salaire suffisant à une secrétaire. Mais à nous deux, nous devrions pouvoir venir à bout de ce fouillis.

Et en effet, vingt minutes plus tard, le bureau était quasi impeccable.

— Fantastique ! la félicita Ellie. Je vous laisse,

ajouta-t-elle comme Meg prenait un autre coup de fil. A plus tard.

Au téléphone, Meg informa son interlocutrice sur ce que le *Triple B* avait à offrir, ravie de pouvoir en vanter les mérites en toute honnêteté. Elle avait assez entendu les autres vacanciers pour savoir que tous étaient enchantés de leur séjour. Tout particulièrement Richard Emery, qui ne tarissait pas d'éloges.

Cette pensée qui lui amena un sourire aux lèvres. Ecrire un article élogieux ne serait pas difficile. Tout ce qu'elle avait vu jusqu'à présent était excellent, tant en ce qui concernait les activités que le service ou l'amabilité.

Entre la prise des appels et les réservations, elle parvint également à dresser une liste de tous les dossiers du classeur, certaine qu'il ne lui faudrait pas longtemps pour établir un système de classement facile à utiliser dont le *Triple B* ne pourrait que se trouver bien.

Lorsque la porte s'ouvrit une nouvelle fois, ce fut sur les yeux écarquillés de Trey.

— Qu'est-ce que vous avez fait de tous les papiers ?

— Envolés, railla-t-elle. Non. Là, dans le classeur !

Les mains dans les poches, il détourna le regard.

— Vous pouvez y aller. Je prends la relève.

Il était clair qu'il n'était pas d'humeur à discuter. Et à voir l'expression de son visage, encore moins d'humeur à supporter sa compagnie.

Pourtant, eu égard à leur dernière entrevue de la veille, laquelle n'avait vraiment rien de professionnel, elle décida de ne pas le laisser s'en tirer à si bon compte.

— Qu'est-ce qui vous ennuie, Trey ? questionna-t-elle tout de go. Y a-t-il dans ces papiers quelque chose que vous ne voulez pas que je voie ? Un secret inavouable, à propos du *Triple B* ?

— Bien sûr que non !

Elle se leva de son siège puis contourna le bureau pour venir se planter devant lui.

— Alors quel est le problème ? Vous ne voulez pas que je vous aide, c'est évident. Pourquoi ne me dites-vous pas tout simplement pourquoi ?

Un muscle se crispa dans la mâchoire volontaire de Trey, mais sans qu'il daigne répondre tout de suite. Lorsqu'il parla enfin, ce fut d'une voix sourde et sans la regarder.

— Vous avez payé pour vous divertir, pas pour vous enfermer dans un bureau !

— Qui vous dit que je ne me divertis pas ? Ça ne va pas me tuer d'aider un peu là où je suis dans mon élément. Et je sais que c'est le cas, puisque vous manquez de personnel.

— Vous ne vous mêlez jamais vraiment aux autres, remarqua-t-il alors. Qu'êtes-vous donc venue faire au *Triple B*, si vous ne profitez pas de ce qu'il a à offrir ?

Meg sentit le nœud coulant qu'elle s'était elle-même mis autour du cou se serrer davantage. Il était temps de trouver une bonne fois pour toutes une échappatoire.

— Ma tante m'a offert ces vacances pour que je puisse expérimenter quelque chose de totalement différent, prétexta-t-elle.

— Et c'est pour ça que vous êtes là, à faire ce que vous faites quand vous n'êtes pas en vacances, moqua-t-il.

Devait-elle s'irriter de sa sollicitude ou s'en féliciter ?

— Si vous ne voulez pas de mon aide, et encore moins comprendre pourquoi je vous l'offre, alors j'abandonne, répondit-elle. Et si ça peut vous faire plaisir, ajouta-t-elle sur le seuil, sachez que

114

j'ai promis aux Henderson d'aller pêcher avec eux. Vous voyez que je m'implique !

Puis elle sortit sans attendre sa réaction, préférant ne pas entendre ce qu'il pourrait avoir à lui rétorquer.


Bravo, Brannigan ! Voilà qu'il l'avait mise en rogne, maintenant ! s'admonesta Trey.

Mais, bon sang, il ne voulait pas que Meg passe son temps au *Triple B* à jouer les secrétaires ! Qui plus est, les secrétaires efficaces !

Un unique coup d'œil au bureau d'ordinaire en pagaille lui avait suffi : Ellie avait raison, il y a longtemps déjà qu'ils auraient dû remplacer Sherry.

Mais comment aurait-il pu s'en charger, alors qu'il avait déjà tant à faire à veiller non seulement à ce que le ranch fonctionne bien, mais aussi à ce que les clients soient satisfaits ? Tout devait être parfait, surtout ces jours-ci, avec *Trail's End* dans les parages. Or, il voulait prouver à Chace et à Dev que cette affaire, contre laquelle tous deux émettaient depuis le début des réserves, pouvait réussir.

— Elle a fait du beau travail, n'est-ce pas ? lança Ellie depuis le seuil.

— C'est vrai, concéda-t-il, avec un sentiment de culpabilité d'autant plus vif qu'il n'avait même pas complimenté Meg.

— Peut-être pourrait-on la convaincre de rester ? suggéra alors sa belle-sœur. T'a-t-elle parlé de ce qu'elle faisait exactement, dans l'Est ?

— Non, nous n'avons jamais abordé le sujet.

— Tiens, pourquoi est-ce que ça ne me surprend pas ? repartit la jeune femme avec un sourire espiègle.

Evidemment, elle faisait allusion à l'incident de tout à l'heure. Pourquoi le fait d'être pris en faute avec Meg l'embarrassait-il à ce point ? Ce n'était pas comme si Ellie ne l'avait jamais surpris à témoigner de l'intérêt à une femme. En fait, à en juger par le nombre de coups de coudes qu'il recevait dans les côtes, la plupart des gens s'attendaient à ce qu'il le fasse.

— Elle nous a mis dans la bonne voie, répondit-il, ignorant le sous-entendu. Nous nous débrouillerons.

— Que tu dis, contesta Ellie. Nous avons besoin de quelqu'un comme elle à plein temps. Je l'ai entendue parler aux clients au téléphone.

Elle est géniale, Trey ! En tant que cliente elle-même, elle peut sincèrement vanter les mérites du ranch, et contrairement à Sherry, elle a un enthousiasme que personne ici ne pourrait égaler !

— Elle est en vacances, Ellie, lui rappela-t-il. Tu sais, ces jours *off* qu'on ne peut nous-même jamais prendre ? Qu'est-ce qui te fait penser qu'elle puisse quitter une place sans doute bien payée pour venir travailler ici, au milieu de nulle part ?

— Toi, décréta Ellie en le regardant droit dans les yeux.

De stupéfaction, le souffle de Trey s'en bloqua dans sa gorge.

— Moi ? répéta-t-il, à peine capable d'articuler le son. Que tu m'aies surpris avec le bras autour de sa taille ne veut pas dire qu'elle est prête à tout lâcher pour venir vivre ici !

— N'aimerais-tu pas apprendre à mieux la connaître ?

Etait-ce le cas ?

Jusque-là, il s'était dit que Meg partirait à la fin de la semaine et qu'ensuite le chapitre serait clos. Envisager quelque chose de plus durable, non, il n'avait rien prévu de la sorte.

D'un autre côté, il ne se résignait pas non plus à son départ.

Il se leva de son siège, s'approcha du fauteuil d'où Ellie le regardait avec un sourire narquois, et lui pinça le nez.

— Tu sais, belle-sœur, je t'aime vraiment beaucoup, mais souvent tu laisses ton romantisme t'égarer. Il n'y a rien entre Meg et moi qui ne se soit déjà produit avec des centaines d'autres.

— Elle n'a donc rien de spécial ? insista néanmoins Ellie comme il allait quitter la pièce.

Il s'arrêta net. Rien de spécial ? Il ne pouvait pas le prétendre.

Otant son chapeau, il se passa la main dans les cheveux.

— Non, enfin, je veux dire, si. Mais… Oh et puis zut, je ne sais pas.

— Si c'est le cas, Trey, tu ferais peut-être mieux de chercher à le savoir !

Il n'était pas si certain de le vouloir. Son instinct lui soufflait que cette femme, déjà si habile à s'insinuer petit à petit dans ses pensées, pouvait être une sérieuse menace à son mode de vie. Or il n'était pas prêt à remettre cette vie en question et doutait de jamais l'être.

118

La curiosité, néanmoins, le taraudait.

— Que suggères-tu ? s'enquit-il.

— Essaie de savoir si elle se plaît dans son travail. Et si ce n'est pas le cas, offre-lui le poste.

Désirait-il vraiment que Meg reste ici ? Indéfiniment ? Voilà qui résoudrait le problème de son départ un peu trop précoce à son goût… Mais qu'en serait-il dans deux ou trois mois, lorsque l'attrait de la nouveauté s'estomperait comme c'était toujours le cas et qu'ils se retrouveraient coincés sur le même lieu de travail ? Ce serait vraiment ennuyeux, très ennuyeux même.

Ellie l'arracha à ses tergiversations.

— Si tu ne veux pas le lui demander, je le ferai.

Il n'ignorait pas que sa belle-sœur pouvait se montrer très opiniâtre. Aussi rétorqua-t-il, avec l'espoir de la détourner du sujet :

— A qui appartient ce ranch, dis-moi ?

— A toi, à Dev et à Chace, concéda-t-elle, une lueur de défi dans les yeux. Et depuis que je suis mariée à ton frère, également à moi. Tu sais pertinemment que c'est pour le bien du ranch, Trey. Tu ne trouveras aucune personne plus désireuse d'aider que Meg. Ni de plus efficace.

Ellie s'approcha du bureau et feuilleta le carnet.

— Regarde toutes les réservations qu'elle a déjà prises ! A peu près une douzaine. Et elle a noté toutes les informations pour que nous puissions rappeler au besoin.

Douze réservations en une matinée ? Il ne pouvait y croire. D'habitude, ils s'estimaient heureux d'en obtenir la moitié en une semaine !

— D'accord, maugréa-t-il. Je le lui demanderai. Mais ne te fais pas trop d'illusions, O.K. ?

Sa belle-sœur hocha la tête avec un sourire confiant.

— Si elle refuse, demande-lui s'il lui est possible de rester au moins encore une semaine ou deux, le temps que nous trouvions quelqu'un d'autre.

— Oui, oui, promit-il.

Ellie partie, il médita sur ce retournement de situation.

Il n'était pas si chaud que ça à l'idée d'inviter Meg au ranch au-delà de sa semaine de vacances. Non pas à cause d'elle, mais à cause de lui. Il connaissait ses antécédents et se savait incapable de se contenter d'une seule femme. Cela, il le laissait à Chace. Or, il devinait que Meg était du genre à vouloir un amour unique et éternel, le type même de femme qu'il évitait.

Mais s'il n'était pas dans ses intentions de la faire souffrir, il était certain que le *Triple B* avait bien besoin de quelqu'un comme elle...

Mais comment l'approcher, après la maladresse dont il venait de faire preuve envers elle ?

# 6.

L'atmosphère était festive, cette nuit-là, lorsque
Meg quitta son bungalow pour se rendre à la
soirée country.

Des lampions avaient été installés tout autour
du patio, ce qui lui donnait un air de décor de
conte de fées, et sur le côté, sur un long chariot
sans bâche, des musiciens accordaient leurs
instruments. Comme elle s'approchait, elle vit
aussi qu'une piste de danse en planches avait
été installée sur la pelouse.

Indécise, elle songea un instant à retourner se
terrer dans le bungalow. A force d'être en butte
aux chaud et froid avec Trey, elle ne tenait pas
particulièrement à le revoir. Pas plus qu'il ne
devait le souhaiter. Mais elle était là dans un
but précis, aussi alla-t-elle se placer près des
autres clients, dans l'ombre, de manière à ne
pas être remarquée.

L'orchestre entama bientôt un air de country au rythme si entraînant qu'elle se surprit à taper la mesure.

— A part vous, vint lui faire remarquer Ellie avec un sourire, tout le monde ou presque danse déjà. Qu'est-ce que vous faites là, à vous cacher dans le noir ?

Un pincement de culpabilité saisit Meg à ces mots.

Trey avait-il raison lorsqu'il lui reprochait de ne pas se mêler assez aux autres ? A vouloir se fondre dans la masse, ne se faisait-elle pas plutôt remarquer comme une solitaire ? Pourvu que non.

— Ne vous inquiétez pas, je m'amuse, affirma-t-elle. Et je vous remercie de l'intérêt que vous me portez. Comme à tous les autres invités, d'ailleurs, acheva-t-elle, s'abstenant de justesse d'ajouter que le remarquer faisait partie de son travail.

— Reste à espérer que vous n'êtes pas la seule à l'apprécier ! se moqua en retour Ellie.

Chace vint les rejoindre, et Ellie le lui présenta.

— Il est tellement pris par la préparation de la

chevauchée de samedi que nous nous sommes à peine vus de la semaine, déplora-t-elle.

Avec les lampions pour seul éclairage et le Stetson que Chace portait rabattu sur son visage, Meg ne put réellement distinguer ses traits, mais curieusement ils lui paraissaient vaguement familiers.

— Je n'aurais pas cru qu'une simple excursion exigeait tant de temps et d'attention, observa-t-elle.

— C'est qu'il ne s'agit pas seulement d'une excursion, expliqua Chace. Nous allons acheminer une partie des bêtes des pâturages où elles sont vers d'autres encore épargnés cette saison. Essayer d'être le meilleur ranch de la région exige beaucoup d'efforts, conclut-il avant d'ajouter avec un sourire à l'adresse de sa femme : que dirais-tu d'une petite gigue, chérie ?

— Allez vous amuser tous les deux, les encouragea Meg, comme Ellie lui lançait un regard hésitant. Je préfère regarder.

Elle les observa tandis qu'ils évoluaient aux côtés des autres danseurs, fascinée par la complexité des pas. C'est alors qu'elle repéra Trey, qui traversait la piste dans sa direction.

Soufflerait-il le chaud ou le froid ce soir ? s'interrogea-t-elle avec un rien d'anxiété.

— C'est de moi que vous vous cachez ? accusa-t-il dès qu'il fut devant elle.

Au sourire charmeur qu'il arborait, elle se vit dans les ennuis jusqu'au cou.

— Je n'ai aucune raison de me cacher de qui que ce soit, rétorqua-t-elle, déterminée à ne pas se laisser contrôler par ses hormones.

— Alors c'est parfait.

Il vint se placer à côté d'elle, et entrelaça ses doigts aux siens.

Meg s'intima d'ignorer les palpitations affolées de son cœur, mais comment lutter contre l'élan d'exaltation qui la saisissait soudain ?

— J'avais peur que vous soyez fâchée contre moi.

— Pourquoi serais-je fâchée ? fit-elle mine de s'étonner.

Il lui effleura la joue d'un doigt, le regard rivé au sien.

— J'ai été un peu dur avec vous ce matin. J'en suis navré, Meg. Me pardonnez-vous ?

— Il n'y a rien à pardonner, mentit-elle, sa détermination à garder ses distances s'affaiblissant quelque peu. Quelle qu'en soit la raison, vous vous préoccupez beaucoup du ranch. Je ne peux pas vous en vouloir pour ça.

— Ce n'est pas ça. C'est juste que je veux que vous preniez du bon temps, pas que vous passiez vos vacances à travailler, expliqua-t-il, laissant l'extrémité de son doigt glisser le long de sa joue et s'arrêter sur la petite veine qui pulsait sous le lobe de son oreille.

Pourquoi ses genoux avaient-ils tout à coup la consistance du beurre fondu ? Trey devait la prendre pour une vraie midinette, à la voir se troubler toujours ainsi au moindre effleurement ! D'autant que son sourire enjôleur ne l'aidait en rien à se ressaisir !

— Rejoignons donc les autres, suggéra-t-il avec un signe de tête en direction de la piste de danse.

Meg nota que l'air country cédait la place à une lente mélodie. Mais danser avec Trey n'était peut-être pas une très bonne idée, surtout alors qu'elle ignorait combien de temps elle serait encore en mesure de tenir debout.

— Allez-y, vous, si vous voulez, déclina-t-elle.

Mais lorsqu'elle voulut s'écarter, il la retint par le poignet.

— J'aurai l'air un peu idiot là-bas tout seul, lui fit-il remarquer. Venez donc.

Il l'entraîna puis, une fois sur la piste, l'enlaça.

Le tremblement, dans les genoux de Meg, gagna ses mains. Elle ne savait pas exactement où les placer, car chacun des couples avait une position différente. Trey, toutefois, ne parut pas s'inquiéter le moins du monde des siennes : les posant de part et d'autre de ses reins, il l'attira contre lui.

— Détendez-vous, Meg, je ne vais tout de même pas vous mordre devant tous ces gens, plaisanta-t-il.

Elle tenta un sourire.

— Je n'en suis pas si sûre.

Ce n'était pas tant la crainte qu'il la morde qui la troublait, naturellement, mais plutôt celle qu'il l'embrasse ! Car si ce baiser avait sur elle le même effet que la dernière fois, elle doutait de pouvoir s'en remettre. Et en plus, en public !

Elle décida de placer les mains sur les épaules de Trey, afin d'être dans la meilleure posture pour le repousser au besoin.

Il la regardait intensément, et elle céda finalement à l'attraction de son regard.

Erreur ! Car les profondeurs bleues contenaient plus de promesses qu'elle n'en escomptait.

Taquin, il lui confisqua ses lunettes, qu'il plaça dans sa poche de poitrine.

— Avez-vous jamais pensé à porter des lentilles de contact ? Vous avez les plus beaux yeux que j'aie jamais vus.

Meg se sentit rougir. Ce compliment, elle l'avait entendu de la part d'autres hommes, mais dans la bouche de Trey, il avait une résonance différente. Ceci dit, pourquoi le croirait-elle alors qu'elle n'avait cru aucun des autres ?

Il l'attira plus près encore, jusqu'à ce que leurs corps se touchent.

— Pouvez-vous me voir sans vos lunettes ? lui chuchota-t-il à l'oreille.

Elle leva de nouveau les yeux et se dit qu'elle méritait une gifle. Elle était tombée dans le panneau. Leurs visages étaient à présent si proches l'un de l'autre qu'elle sentait son souffle sur sa joue.

— Assez pour savoir que vous êtes bien trop près ! rétorqua-t-elle.

Au lieu de s'écarter, Trey sourit.

— Vous n'aimez pas les rythmes lents ?

— Le rythme, si. C'est juste que vous êtes trop…

— Trop près, d'accord.

Il s'écarta d'un petit centimètre, puis suggéra :

— Si danser vous met si mal à l'aise, que diriez-vous d'une promenade à cheval ? La lune est assez claire ce soir. Et je vous en dois une de toute façon, puisque vous avez sacrifié votre leçon, ce matin, pour donner ce coup de main au bureau.

Elle songea d'abord que se retrouver en tête à tête avec lui n'était pas très sage, puis s'avisa qu'il n'y avait aucun danger du moment qu'ils ne chevauchaient pas la même monture.

— Ça m'a l'air d'une très bonne idée.

Avant de la relâcher, Trey laissa ses mains remonter le long de sa colonne vertébrale, ce qui lui provoqua un délicieux frisson. Puis, un bras autour de son épaule, il l'achemina en direction de l'écurie.

— Parfait. En plus, j'ai à vous parler.

De quoi donc ? s'interrogea-t-elle tandis qu'il sellait leurs deux chevaux. Elle n'était déjà plus si certaine, tout à coup, d'avoir eu raison d'accepter. Heureusement, elle partait dimanche, et pour peu qu'elle parvienne à garder cela à l'esprit, elle s'en sortirait peut-être sans trop de dommages.

Le problème, c'est qu'elle ne se souvenait plus de rien dès qu'elle était en présence d'un certain cow-boy !

Cette promenade en tête à tête au clair de lune était une idée subite que Trey espérait ne pas regretter.

Tenir Meg dans ses bras sur la piste de danse avait été plus qu'il ne pouvait supporter. Tout comme elle, il avait été pris du besoin de mettre un peu de distance entre eux, au risque de se laisser aller à une malencontreuse initiative dans le cas contraire.

Il avait maintes fois embrassé des femmes en public, mais Meg était une cliente, et face à Richard Emery, ça n'aurait pas été du meilleur effet pour l'évaluation du *Triple B*, non ?

Après s'être assuré que la jeune femme était bien installée en selle, il prit sans hésitation une certaine direction. Il connaissait si bien ses terres qu'il eût pu s'y diriger les yeux fermés.

— Vous montez de mieux en mieux, la complimenta-t-il au bout de quelques minutes de silence. Mais je n'en suis pas surpris : malgré vos difficultés, le premier jour, vous n'étiez pas aussi nerveuse que la plupart des gens lorsqu'ils montent pour la première fois.

— Bien sûr que si, je l'étais, nia Meg. C'est juste que vous ne l'avez pas vu.

Elle marqua une pause, s'éclaircit la voix, puis enchaîna :

— J'ai toujours entendu dire que les cow-boys avaient tendance à ne jamais rester longtemps en place, mais vous dites avoir vécu ici la majeure partie de votre vie ?

Trey n'ignorait pas que nombre de ses semblables étaient en effet incapables de se fixer, que ce soit dans un ranch ou ailleurs. Mais il n'avait jamais été ainsi, et même lorsqu'il s'exerçait au rodéo, il avait toujours fait en sorte de ne jamais trop s'éloigner du *Triple B*. Contrairement à Chace qui, bien qu'ayant lui aussi un profond attachement pour le ranch, avait vu du pays au cours de ses compétitions.

— Vous n'avez pas l'air d'avoir une très bonne opinion des hommes de l'Ouest, commenta-t-il.

— Pour être franche, répondit-elle avec un sourire, vous êtes le premier que je rencontre.

— Tous les cow-boys ne sont pas des nomades, fit-il alors observer. Regardez Chace, par exemple.

— En effet. Mais c'est sans doute parce qu'il a eu la chance de rencontrer Ellie.

Cette fois, il ne répondit rien. Son frère avait en effet eu la chance de rencontrer la femme qui lui convenait. Une chance qu'il n'avait lui-même pas eue, ce qui n'était pas plus mal. Il avait beau être un des rares cow-boys heureux de rester dans un seul endroit, pour qui la famille comptait plus que tout, il n'avait pas pour autant l'intention d'ajouter à ladite famille la sienne propre. Ne se plaisait-il pas parfois à penser que, si le ranch l'enracinait, les femmes lui procuraient la diversité d'horizons dont il manquait ?

Alors pourquoi le prochain départ de celle-ci le perturbait-il tant ?

Il souhaitait ardemment que Meg reste. Pas pour toujours, naturellement, mais au moins quelques jours de plus. D'où la nécessité de présenter la suggestion d'Ellie sous son meilleur jour. En l'occurrence, paradoxalement, dans l'obscurité, dans la mesure où il n'était pas certain de pouvoir dissimuler sa déception en cas de refus.

Et il était temps.

Lorsqu'il se racla la gorge, le son lui parut assourdissant dans le silence de la nuit, mais il se força à déclarer :

— Vous nous avez vraiment impressionnés, Ellie et moi, ce matin au bureau.

Meg haussa les épaules.

— Je n'ai fait que répondre au téléphone et classer quelques papiers. Rien qu'une bonne réceptionniste ou une secrétaire ne sache faire.

— Je ne vous contredirai pas là-dessus, concéda Trey, bien qu'il ait un avis différent sur la question : en un seul jour, elle avait accompli plus que Sherry n'aurait fait en un mois ! Mais dénicher quelqu'un d'aussi compétent que vous n'est pas facile. Etes-vous satisfaite de votre emploi actuel ?

— Tout à fait, répondit-elle sans hésiter.

— Vous n'envisagez donc pas d'en changer ? insista-t-il néanmoins, prêt à jouer le tout pour le tout.

Elle tira sur les rênes pour immobiliser sa monture et le fixa.

— Que voulez-vous dire ?

— C'est que, débuta-t-il avec un haussement d'épaules faussement désinvolte, Ellie et moi nous disions que… Enfin, c'est l'idée d'Ellie,

133

mais… Si ça vous disait de venir travailler au *Triple B* ?

Meg ouvrit la bouche puis la referma, puis elle secoua la tête comme si elle n'était pas certaine d'avoir bien entendu.

— Seriez-vous en train de suggérer que je reste ?

— Eh bien oui, en effet, admit-il. Vous avez été formidable, aujourd'hui, et vous êtes tout à fait le genre de personne dont le *Triple B* aurait besoin.

Elle ne parut pas l'entendre et s'exclama d'un ton incrédule :

— Vous voudriez que je parte chez moi boucler mes valises et que je revienne m'installer ici, juste comme ça ?

Trey sentit son espoir chuter au fond de ses bottes. A quelques mètres de là, devant eux, le ruisseau miroitait au clair de lune. Cette offre, il avait prévu de la faire de manière plus romantique, mais là, il perdait le contrôle de la situation.

— C'est beaucoup demander, je suppose, convint-il, surtout si ce que vous faites vous plaît. A propos, vous n'avez jamais dit ce que c'était, exactement.

134

— Je travaille dans des bureaux, précisa-t-elle sans le regarder.

Trey avança jusqu'au bord du ruisseau, où il sauta à terre et lui tourna pour l'inviter à démonter à son tour. Ce qu'elle avait déjà fait sans son aide.

— C'est si beau, observa-t-elle avec un soupir.

— C'est l'une des plus belles vues de la propriété, précisa Trey. Mais pas la seule. Vous en êtes une, vous aussi, ajouta-t-il, inclinant la tête pour déposer un baiser sur ses lèvres dont il brûlait tant de goûter de nouveau la saveur.

Il ne s'y attarda pas, cependant, et reprit :

— Si vous restiez, je pourrais vous en montrer d'autres.

— Je... Je ne sais vraiment pas, Trey.

Il glissa alors un bras autour d'elle et plongea son regard dans le sien.

— Ellie pensait que vous seriez peut-être disposée à rester au moins une ou deux semaines de plus. S'il vous est possible d'obtenir de votre employeur davantage de congés, bien sûr.

Meg secoua la tête.

— J'aimerais vous aider, mais vraiment je ne peux pas. Mon travail n'est pas seulement un endroit où je me rends de 9 heures du matin à 5 heures du soir. C'est aussi ma carrière, ce qui a le plus d'importance dans ma vie.

— Plus que...

Trey, qui s'apprêtait à lui demander si cette carrière avait plus d'importance que lui, s'en abstint juste à temps. Comme il ne lui avait jusque ici offert rien de permanent, c'était pour le moins présomptueux de sa part ! Aussi acheva-t-il :

— ... Qu'un homme dans votre vie, par exemple ?

— Il n'y a personne, avoua-t-elle. Je n'en aurais même pas le temps. Ces quelques jours sont les premières vacances que je m'offre depuis des années !

— Et nous vous avons fait travailler ! se reprocha-t-il tout haut.

— Ça ne m'a pas dérangée, répéta Meg avec un sourire. Quand le comprendrez-vous enfin ?

— Jamais, je suppose, admit-il avec un petit rire destiné à masquer son désappointement. Ceci dit, si vous changez d'avis... Non que je cherche à vous influencer, mais...

De crainte peut-être qu'il ne lui vole un autre baiser, Meg s'écarta en direction de sa monture.

— Qui sait ? Venez. Si nous nous dépêchons,

nous pourrons peut-être encore profiter un peu de l'orchestre.

Trey se résigna à la suivre, s'efforçant tant bien que mal de ravaler sa déception.

Avec un bon article dans *Trail's End*, le *Triple B* s'en sortirait sans Meg Chastain. Mais il avait comme le sentiment qu'il lui faudrait, à lui, plus de temps que d'habitude avant que d'autres jupons n'accrochent son regard.

C'est avec un pénible sentiment de culpabilité que Meg s'éveilla le lendemain matin.

Lorsqu'elle était sortie des bureaux du magazine, en route pour ce reportage, elle ne s'attendait certes pas à ce que cette petite mystification perturbe sa vie. A force de demi-vérités, elle avait conduit Trey à se méprendre sur elle, mais maintenant, s'il la perçait à jour... Mieux valait ne pas y penser.

Le séjour s'achevait, de toute façon, et sa mission aussi.

Elle savait déjà que l'article qu'elle écrirait sur le *Triple B* serait élogieux, et sans la moindre réserve. Quasiment tout, au ranch, était exceptionnel, en dépit même de l'absence de trois employés, ce qui imposait à tous davantage de travail sans qu'elle ait entendu la moindre plainte, ni de la part du personnel ni de celle des clients. Il lui restait encore à évaluer le mini-rodéo prévu pour la matinée ainsi que la chevauchée du lendemain, mais en ce qui la concernait, le *Triple B* avait amplement prouvé sa valeur.

Un peu plus tard, appuyée contre la barrière du corral, elle fut impressionnée par la prestation d'Ellie. Pour quelqu'un qui n'était plus dans le circuit, la frêle jeune femme maniait sa monture avec une remarquable précision, de même que son mari, ainsi que tous les hommes du ranch qui se donnèrent en représentation. Si bien que lorsque la poussière retomba dans le corral, les applaudissements de l'assistance furent plus qu'appréciateurs.

Tandis que les autres clients s'égaillaient en petits groupes, Meg décida de rester, intriguée : deux vachers amenaient un nouvel étalon dans la glissière qui ouvrait sur le corral, et Trey faisait signe à Richard Emery, toujours là lui aussi, d'approcher.

Pour quoi faire ? Richard n'allait tout de même pas essayer de le monter ?

Elle en resta paralysée d'horreur.

D'après le peu qu'elle avait échangé avec

lui, elle savait que le jeune homme n'avait rien d'un sportif. A cheval, il se débrouillait plus ou moins, mais il faut dire aussi que Trey et Ellie lui avaient consacré plus de temps qu'aux autres, persuadés qu'ils étaient qu'il était le journaliste dépêché par *Trail's End*. Elle ne pouvait guère les blâmer de vouloir faire bonne impression, mais le laisser monter sur un cheval sauvage allait un peu trop loin.

Elle retint son souffle, les mains crispées sur la barrière. Lorsqu'elle vit Richard se jucher sur la paroi de la glissière, elle chercha frénétiquement Trey du regard. Mais il ne restait plus aux alentours que les deux vachers et Pete.

Elle regarda donc Richard se caler en selle, horrifiée.

Installés sur les côtés, les deux vachers l'aidèrent à enrouler le licol de l'animal autour de son poignet puis, lorsqu'il hocha la tête, ils s'écartèrent hâtivement.

Le portail s'ouvrit, et le cheval s'élança avec force ruades dans le corral, tandis que son pauvre cavalier, s'accrochant d'une main, agitait l'autre en l'air.

Il sembla à Meg que l'animal n'était pas aussi farouche que ceux montés précédemment, mais cela n'avait rien non plus d'une promenade dominicale à la campagne. Au bout de quelques secondes, un des vachers émit un sifflement, l'étalon se cabra violémment, et Emery vola dans les airs pour atterrir dans la poussière.

Livide, elle enjamba la barrière et se dirigea au pas de charge vers Pete, tandis que les deux vachers encerclaient le cheval pour l'éloigner du cavalier désarçonné. Sans s'y appesantir, elle nota distraitement que l'animal se laissait sans broncher passer un harnais, ce qui ne l'arrêta pas et ne la ralentit pas plus.

— C'est vous le responsable ? lança-t-elle lorsqu'elle fut arrivée devant Pete, les poings sur les hanches.

L'homme lança un regard surpris derrière lui, comme si elle s'adressait à quelqu'un d'autre, puis, inclinant son Stetson en arrière, il ébaucha un rictus et répondit d'un ton légèrement nasillard :

— Ben, non, pas tout à fait, m'zelle.

— Si ce n'est pas vous, alors qui est-ce ? insista-t-elle avec un début d'exaspération.

— Ben, Trey bien sûr, m'zelle Chastain.

Elle ne fut pas vraiment surprise. N'avait-elle

140

pas vu Trey au cœur de toutes les activités du ranch ?

— Et où est-il ?

— J'suppose qu'il est parti avec Chace repérer la piste pour demain. Ça va leur prendre un certain temps.

— Combien, exactement ?

Pete haussa les épaules avec cette caractéristique désinvolture de cow-boy qui la hérissait davantage à chaque seconde.

— Tard ce soir, j'suppose.

— Ce soir !

D'exaspération, elle leva les deux mains en l'air puis, sans un mot de plus, tourna les talons et se précipita vers Richard Emery, qui boitait en direction de la barrière.

— Monsieur Emery, vous allez bien ?

Il pivota en se frottant un coude d'une main, ses lunettes tordues dans l'autre.

— Parfaitement bien, mademoiselle, affirmat-il avec un sourire radieux. Mais merci de vous en inquiéter.

Meg, alors, explosa comme une Cocotte-Minute trop longtemps sous pression.

— Avez-vous donc perdu l'esprit ? Monter

sur un cheval sauvage comme ça ? Qu'est-ce qui vous a pris d'accepter ?

— Accepter quoi ? rétorqua Emery d'un ton un rien condescendant. C'est moi qui ai demandé à monter sur cet animal.

— Alors c'est que vous êtes aussi irresponsable que ces hommes ! s'emporta-t-elle. Plus encore même, car eux au moins ont une idée des risques qu'ils prennent. Sachez en tout cas que j'ai la ferme intention de dire son fait à qui de droit !

Et ce, dès que cet imbécile de cow-boy remettrait les pieds ici ! décida-t-elle en son for intérieur, en s'éloignant d'un pas furieux.

# 7.

— Ça, on ne peut pas dire que ça m'a enchanté
d'annoncer à Ellie que Meg ne viendrait pas
travailler pour nous, avoua Trey à Chace.

Ils chevauchaient depuis plusieurs heures déjà,
mais heureusement le ranch était enfin en vue.

— Elle a été déçue, même si elle s'en doutait
un peu, répondit son frère, avant d'ajouter avec
un drôle de sourire : et toi, comment as-tu pris
la nouvelle ?

— Moi ? fit mine de s'étonner Trey. Pourquoi ?

Chace reporta son regard sur la ligne d'horizon
au-delà de laquelle se couchait le soleil.

— Parce qu'il est évident que tu l'apprécies
particulièrement.

— J'apprécie beaucoup de femmes, répliqua
Trey avec un petit rire. Tu le sais bien !

— J'ai pourtant l'impression qu'avec Meg, c'est différent, insista néanmoins Chace.

Bien que son frère ne le regardât même pas, Trey se donna tout à coup l'impression d'être un insecte sous un microscope.

— Eh bien, elle m'intéresse, c'est vrai, rétorqua-t-il, sur la défensive. Mais ça ne veut pas dire que je vais la demander en mariage ! C'est juste qu'elle est… différente.

— Ellie l'était aussi, observa son frère.

— Elle l'est toujours ! repartit Trey avec un sourire.

Ils chevauchèrent quelques minutes en silence, puis Chace reprit :

— Tu sais, j'ai bien failli la perdre.

— Je sais, répondit Trey, qui n'ignorait pas qu'il y avait eu entre eux maintes tribulations avant le dénouement final. Ellie était sur le point d'épouser cet imbécile de J.R, et tu l'as secourue juste à temps.

— Si seulement il n'y avait que ça ! Non, le plus dur, ç'a été d'admettre que je l'aimais.

— Sans doute, convint Trey avec un hausse-ment d'épaules. Personnellement, je n'ai jamais éprouvé le besoin de le dire.

— C'est là où tu te trompes, p'tit frère, déclara

alors Chace. Le problème, ce n'est pas que je n'arrivais pas à le lui dire, mais que je refusais de me l'avouer à moi-même. Ça ne te rappelle pas quelque chose ? conclut-il avec un regard en biais.

— Absolument pas, décréta Trey d'un ton sans appel. J'admets que quelque chose m'intrigue chez Meg, mais ce n'est pas de l'amour, non. Et puis elle repart dimanche, de toute façon, alors ça va s'arrêter là.

— C'est aussi ce que je pensais pour Ellie, insista son frère. J'croyais, en tout cas, que puisqu'elle épousait Jimmy Bob, y'avait plus rien à faire…

— Mais heureusement, têtue comme elle est, Ellie est venue te chercher elle-même, compléta Trey qui connaissait bien l'histoire. Je vois où tu veux en venir, mais entre Meg et moi, ce n'est pas pareil.

— Ça non, concéda Chace. Meg, elle, n'est pas le type à revenir.

Trey préféra ne pas argumenter davantage. D'un, il n'était pas amoureux et de deux, Meg partait. Soupirer après une femme, ce n'était pas pour lui. Il n'était pas de l'étoffe de ceux qui se marient, et aucune femme n'y changerait rien.

Les paroles de Chace, toutefois, le taraudèrent jusqu'à leur arrivée au ranch, et lorsqu'ils émergèrent tous deux de l'écurie, la première chose qu'il fit fut de chercher Meg des yeux.

Et justement, voilà qu'elle venait dans sa direction, s'avisa-t-il avec un sourire... Lequel s'estompa au fur et à mesure qu'elle s'approchait.

Quelque chose n'allait pas. Pas du tout même.

Meg s'immobilisa devant lui, les joues enflammées, puis lui enfonça son index dans la poitrine, ce qui le fit reculer d'un pas.

— C'est vous le responsable du rodéo, paraît-il ?

— Ouh là, je vous laisse, commenta Chace, qui s'éloigna vite fait.

Mais Meg ne parut pas l'entendre. Sa fureur était dirigée tout entière contre Trey.

Il n'avait pas la moindre idée de ce qui pouvait la lui valoir, mais il eut la nette prémonition qu'il n'allait pas tarder à le savoir.

— Vous est-il jamais venu à l'esprit que Richard Emery pouvait se rompre le cou ? accusa-t-elle en effet. Hein, dites ?

De nouveau, elle le poussa de l'index, mais cette fois il ne céda pas le moindre pouce de

146

terrain. Au lieu de quoi il lui agrippa le poignet puis rétorqua :

— De quoi parlez-vous donc ? Du rodéo de ce matin ?

— Evidemment ! s'exaspéra-t-elle d'une voix de plus en plus haut perchée. Demander à grimper sur ce cheval n'était pas très malin de sa part, mais si vous l'avez permis, alors vous êtes encore plus irresponsable que lui !

— Ecoutez, Meg…

— Non, c'est vous qui allez m'écouter ! Je vous tiens pour responsable de cette imprudence, et vous pouvez dès maintenant parier vos éperons que j'en dirai deux mots au propriétaire du ranch-hôtel.

— Meg, ce cheval…

— Ce cheval aurait pu tuer cet homme ! coupa-t-elle avec hargne. Et je vais de ce pas en avertir Chace Brannigan, qui devrait avoir, lui au moins, un peu plus de jugeote que vous !

— Calmez-vous, Meg. Vous ne savez pas vraiment ce qui…

— Ce que je sais, c'est que Chace est propriétaire de ce ranch avec ses deux frères.

— C'est-à-dire Dev et moi.

— Et s'il ne veut pas entendre raison non plus, je…

Elle s'interrompit brusquement, cependant que les taches de couleur vive sur ses pommettes s'éteignirent soudainement, tandis que le reste de son visage blanchissait.

— Comment, vous ? Que voulez-vous dire ? Le prénom du troisième frère est Bufford.

Trey laissa retomber son menton sur sa poitrine avec un soupir théâtral, puis il jeta un coup d'œil circulaire pour vérifier que personne n'était à portée d'oreille. Suite à quoi, il accrocha son regard et chuchota à voix basse :

— Ne le répétez surtout pas, d'accord ?

— Bufford, c'est *vous* ?

— Eh oui. Vous ne le saviez donc pas ? Bufford Brannigan était mon grand-père, précisa Trey comme elle secouait la tête, l'air ébahi. Mon père portait le nom de Bufford junior, mais tout le monde l'appelait Buck. Il a réussi à éviter de transmettre son prénom à Chace et à Dev, mais ma mère tenait absolument à ce que l'un de ses fils le porte, alors j'y ai eu droit. Heureusement, il a au moins obtenu que j'aie le surnom de Trey, qui veut dire à peu près « le troisième de la triplette ».

148

Meg parut enfin retrouver sa langue, mais ce fut pour ironiser :

— Comme au poker, je vois. Votre père devait y être drôlement doué !

— Pas autant que ma mère, repartit-t-il avec un sourire. Et maintenant, si vous voulez bien m'expliquer ce qui vous contrarie à propos de ce rodéo ?

— Et quel rodéo ! enchérit-elle avec un regain de hargne. J'ai vraiment du mal à croire que vous l'ayez laissé faire !

— Emery n'a jamais été en danger, Meg. Ce cheval n'est pas sauvage. Les gars ont simplement un peu trop serré la sous-ventrière pour qu'il se débatte un peu.

— Ce n'est pas la question, argumenta Meg. M. Emery aurait pu gravement se blesser. Et vous, hériter d'un procès par-dessus le marché !

— Pas avec une décharge signée de sa main.

Meg cligna des yeux une, puis deux fois.

— Vous lui avez fait signer une décharge ?

— Je ne suis tout de même pas idiot, Meg. Si le bon sens ne me l'avait pas dicté, mon mastère de commerce l'aurait fait ! répliqua-t-il, légèrement agacé.

— Votre mastère, de commerce ? répéta faiblement Meg.

— Un appel pour vous au bureau, m'zelle Chastain, hurla au loin Pete.

Surprise, la jeune femme écarquilla les yeux puis tourna les talons sans un mot de plus.

Trey la suivit des yeux, curieux.

Pourquoi cette réaction étrange lorsqu'elle avait compris qu'il était Bufford Brannigan ? Et quel était cet appel ? Une urgence ?

Meg enfila hâtivement le couloir.

Géraldine, elle le savait, l'aurait contactée sur son portable. Il ne pouvait donc s'agir que de tante Dee, qu'elle avait tenté de joindre la veille en vain. Elle ne s'en était pas inquiétée, car sa tante jouait souvent au bridge avec des amis en soirée. Mais puisqu'elle la contactait au ranch, ce devait être sérieux.

— Ah, vous voilà, s'exclama Ellie lorsqu'elle franchit le seuil du bureau. J'ignorais où vous étiez, et j'ai suggéré à votre interlocuteur de vous laisser un message, mais il insiste pour vous joindre directement.

Meg la remercia puis attendit qu'elle soit sortie de la pièce pour annoncer dans l'écouteur :

150

— Meg à l'appareil.

— Meg ? Ici John Jeffers.

Elle sentit son cœur s'arrêter de battre. Qu'un voisin prenne la peine de la contacter de si loin n'était pas de bon augure.

— Que se passe-t-il ? questionna-t-elle d'une voix étranglée, la chair de poule sur les bras. Quelque chose est arrivé à tante Dee ?

— Votre tante va bien, mais j'ai préféré vous appeler, expliqua John, parce que Sadie et moi avons dû la conduire aux urgences cet après-midi.

— Mon Dieu !

— Ne vous inquiétez pas, elle va mieux. Elle avait un peu de mal à respirer, mais ils l'ont aussitôt mise sous oxygène avant de la renvoyer chez elle après une injection.

Impuissante à une telle distance, Meg ne sut comment réagir.

— Peut-être devrais-je rentrer ?

— Ce n'est vraiment pas la peine, lui assura son voisin. L'injection et l'inhalateur ont fait des merveilles, et nous allons tranquillement passer la soirée avec elle avec une bonne partie de bridge. Dee se sentira comme neuve demain.

Meg en doutait sérieusement. Sa pauvre tante

combattait son asthme depuis si longtemps qu'elle ne devait même plus se souvenir de ce qu'était une saine bouffée d'air. Et personne, hélas, n'y pouvait rien pour l'instant.

Aussi se résigna-t-elle à recommander :

— Assurez-vous que le filtre de la climatisation est propre, voulez-vous, John ? Il y en a tout un sac sous l'évier, dans la cuisine.

— Je m'en occupe tout de suite. J'espère que je vous ai inquiétée pour rien. Dee ne voulait pas que je vous appelle, mais je me suis dit que c'était préférable.

— Vous avez bien fait, John, affirma Meg d'une voix encore un peu tremblante. Et si elle a une autre crise, surtout n'hésitez pas à m'appeler, quoiqu'elle dise. Je vous donne mon numéro de portable, ce sera plus pratique.

Elle attendit que son voisin en ait pris note.

— N'hésitez pas à m'appeler à n'importe quelle heure du jour ou de la nuit, répéta-t-elle. Et, John ? Merci de prendre soin d'elle.

— Rien de plus normal, voyons. Tout ira bien, je vous le répète, alors profitez bien de votre fin de séjour.

Meg raccrocha néanmoins très inquiète. Les crises d'asthme de sa tante étaient de plus en plus fréquentes, et incontestablement dues à la pollution de l'air. Le seul moyen d'aider Dee serait de l'éloigner de la ville, et pour cela il lui fallait mieux gagner sa vie, et donc écrire sur le *Triple B* le meilleur article que Géraldine Martin ait jamais obtenu de ses rédacteurs.

De retour à son bungalow, elle s'effondra dans un fauteuil, tant la tête lui tournait encore de ces deux nouvelles inattendues.

Savoir Trey propriétaire du *Triple B* faisait toute la différence. Au vu de leurs rapports, serait-elle en mesure d'évaluer impartialement le ranch ? Elle s'était déjà complètement fourvoyée en ce qui concernait l'identité de son propriétaire, et à présent elle doutait de tout. Ce dont elle était certaine, en tout cas, c'est qu'elle était en sueur et épuisée. Il était déjà tard, mais après une bonne douche, peut-être aurait-elle encore le temps de contacter Géraldine pour lui expliquer son dilemme ?

Elle gagna la salle de bains où elle arracha sa perruque avec un soupir de soulagement.

Plus que deux jours, et elle en aurait terminé avec cet accoutrement. Plus que deux jours, et elle quitterait le *Triple B* et Bufford Trey Brannigan pour toujours.

Autant l'admettre, croire qu'il n'était qu'un simple employé avait été un filet de sécurité pour elle. Certes, les cow-boys étaient notoirement nomades, mais lorsqu'il lui avait dit avoir toujours vécu ici, pourquoi n'avait-elle pas compris que c'était au ranch, et pas forcément dans la région ? La réponse était simple : à la seconde où elle l'avait vu, elle s'était convaincue qu'il n'était qu'un employé comme les autres.

Mais qu'il soit l'un des propriétaires d'un des plus vastes ranchs du Texas changeait tout. Loin de l'image un peu bohème qu'elle s'en était d'abord faite, l'homme qui lui faisait battre le cœur à coups redoublés était stable et prospère. Elle était, décidément, dans les ennuis jusqu'au cou. Inutile de continuer à nier, en effet, qu'un certain cow-boy était en train de lui ravir son cœur.

Attablé dans la cuisine du *Triple B*, Trey triturait de sa fourchette un T-bone pourtant des plus savoureux.

— Un problème, Trey ? s'inquiéta Ellie, debout devant l'évier.

— Le problème, intervint en s'esclaffant Chace,

assis face de lui, c'est que Meg l'a incendié à propos de l'essai d'Emery au rodéo ce matin !

Trey secoua la tête. Ce n'était pas tant l'accès de colère de Meg qui le contrariait que l'expression qu'elle avait eue à l'annonce qu'il était le troisième Brannigan.

Il l'expliqua à son frère et à sa belle-sœur, laquelle s'exclama en écarquillant les yeux :

— Elle l'ignorait, vraiment ? J'ai pourtant su que tu étais le frère de Chace à la seconde où j'ai posé les yeux sur toi !

— Quelle différence ça ferait, que tu sois l'un des propriétaires du *Triple B* ? questionna son frère. A moins qu'elle ne soit après quelque chose…

— Pas la moindre idée, marmonna Trey, avant de se lever et d'aller porter son assiette encore pleine dans l'évier. Ensuite il y a eu ce coup de téléphone, et j'ai comme l'impression que ça l'a secouée aussi. Je ferais peut-être mieux d'aller voir comment elle va.

— Si elle a besoin de quoi que ce soit, fais-le-nous savoir, lança Ellie comme il se dirigeait vers la porte.

Inquiet, Trey s'élança à grandes enjambées dans la direction du bungalow de Meg. Il y avait de la lumière à l'intérieur, mais avant d'aller frapper à sa porte, il décida de jeter un coup d'œil par la fenêtre pour vérifier qu'elle était bien là. Ce qu'il vit alors lui fit l'effet d'une ruade en plein estomac.

Assise dans le fauteuil, les jambes allongées sur la table basse, elle ne portait rien de plus qu'une serviette nouée aux aisselles et une autre drapée autour de ses cheveux. Un téléphone portable à l'oreille, elle souriait.

Mais ce qui le figea sur place, ce fut son corps à peine couvert par la serviette brodée aux initiales du *Triple B*. Un corps superbement sculpté, des épaules incroyablement fines aux longues jambes fuselées.

Ce ne pouvait pas être Meg, et pourtant... Ces superbes jambes, ne les avait-il pas devinées sous son jean, le jour de leur leçon particulière, en dépit du long T-shirt informe, et ces courbes, ne les avait-il pas senties sous ses mains sur la piste de danse ?

Mais pourquoi les dissimulait-elle sous ces horribles tenues ? Par simple mauvais goût ? C'était peu vraisemblable.

Il eût dû tourner les talons, il le savait, mais fasciné par cette vision, il demeura tétanisé derrière la fenêtre jusqu'à ce que la jeune femme prenne la direction de la salle de bains, sa conversation achevée.

Trey déglutit péniblement. Cette démarche était incontestablement celle de Meg, mais en plus en sensuel encore, à présent qu'elle se révélait dans toute sa féminité.

Il lui traversa l'esprit qu'il lui suffirait d'aller frapper à sa porte pour qu'elle lui ouvre. Cependant, il se savait incapable d'articuler le moindre son. C'était tout juste s'il parvenait à penser quoi que ce soit qui ne soit pas associé à des parties du corps et au sexe ! Jamais plus il ne pourrait s'ôter cette vision de Meg de la peau, il le savait.

S'obligeant à reculer de quelques pas, il prit une profonde inspiration et ferma les yeux.

Oh, oui ! Elle était bien là, tatouée au fer rouge dans sa mémoire pour l'éternité.

De retour dans son bureau, il alla directement saisir sur l'étagère la flasque de bourbon et s'en versa une généreuse rasade. La première gorgée le brûla de la gorge aux entrailles, mais même le feu de l'alcool ne pouvait égaler celui qui le consumait déjà tout entier.

L'amorce avait été cette première plongée

dans les yeux verts de Meg Chastain. Telle une truite prise à l'appât, il s'était débattu, cherchant à se convaincre que ce n'était qu'un leurre, mais lentement, inexorablement, elle l'avait fait émerger de l'eau, hameçon, ligne et plomb compris.

Qu'y avait-il donc de spécial chez cette femme pour qu'il ne pense désormais plus qu'à elle ?

Il n'aurait su le dire, et il ne lui restait plus que deux jours pour le découvrir.

# 8.

Meg ne se sentait pas très sûre d'elle lorsqu'elle claqua la porte de son bungalow derrière elle le lendemain matin.

Dieu merci, elle n'était pas si en retard qu'elle le craignait, se dit-elle en constatant que le soleil dépassait à peine la ligne d'horizon. Elle ne s'était pas réveillée à temps pour le petit déjeuner plus matinal que de coutume, mais c'était tout aussi bien : s'il y avait une personne qu'elle n'était pas pressée de voir ce matin, c'était bien Trey Brannigan.

Accoler les deux noms, déjà, suffisait à lui donner des frissons. Comment avait-elle pu être aveugle à ce point ?

— Votre cheval est prêt, m'zelle Chastain, l'informa Pete lorsqu'il la vit.

— Merci, Pete. Trey est-il dans l'écurie ?

— Pas qu'je sache.

159

Par prudence, elle scruta les environs puis, soulagée de n'apercevoir Trey nulle part alentour, elle pénétra dans l'écurie… et se heurta à un large torse.

— Vous êtes en retard.

Impossible de confondre avec une autre cette voix dont le seul souvenir l'avait fait se tourner et se retourner dans son lit toute la nuit.

Tandis que les puissantes mains de Trey l'agrippaient pour l'empêcher de perdre l'équilibre, elle prit une profonde inspiration et leva les yeux. La faible clarté matinale éclairait peu le visage hâlé, mais bien que les yeux bleus soient en partie dissimulés par le rebord du Stetson, elle en sentit la brûlure.

— Désolée, je…

— Trey, Chace vous demande, lança un des vachers derrière elle.

Trey lança un bref regard au-delà d'elle.

— J'arrive dans une minute.

— Il a dit tout de suite, patron.

Le regard bleu accrocha de nouveau le sien, avec une si étrange expression qu'elle retint son souffle. Mais il la relâcha pour emboîter le pas au vacher.

Meg demeura quelques secondes immobile,

certaine que son cœur s'était arrêté. Quoi qu'elle ait vu dans les yeux et les traits crispés de Trey, elle avait comme le pressentiment que ce n'était pas de bon augure.

Mais avant qu'elle ait pu s'interroger davantage, Ellie apparut, tenant Clair de Lune par la bride.

— Vous feriez mieux de vous dépêcher, dit-elle, lui tendant les rênes. Nous commencions à nous inquiéter. Vous allez bien ?

— Oui. Désolée, je ne me suis pas réveillée. Vous nous accompagnez pour la chevauchée ?

— Seulement un bout de chemin, histoire de m'assurer que tout le monde tient bien en selle. Ne vous inquiétez pas, tout se passera bien, conclut Ellie en lui tapotant l'épaule.

Meg la regarda s'éloigner, puis se hissa en selle, non sans murmurer, mais plus à sa propre intention qu'à celle du cheval :

— Nous y voilà, Clair de Lune.

Que la semaine s'achève l'attristait, mais du moins sa conversation téléphonique avec sa rédactrice en chef, la veille, l'avait rassurée. Géraldine l'estimait tout à fait capable d'écrire un article impartial et ce, en dépit de ses affinités avec certains membres du personnel.

— J'avais peur que vous ne ratiez ça ! lui lança Janet Henderson lorsqu'elle rejoignit le reste du groupe.

— Aucun risque ! repartit Meg.

Un long sifflement fit tressaillir Clair de Lune, et elle lui flatta l'encolure. En tête de colonne, Trey, debout de toute sa hauteur sur ses étriers, donnait le signal du départ.

Meg compta rapidement le nombre de participants.

Hormis la grand-mère de Carrie, tous les clients de la semaine étaient là, visiblement ravis. Pour peu que la même exaltation prévale au retour, elle pourrait tout à fait honnêtement écrire que la semaine était une réussite.

Une fois en route à travers les grands espaces, Trey prit la peine de redescendre toute la colonne pour s'assurer que tout se passait bien pour chaque participant. Mais lorsqu'il s'adressa aux Henderson en compagnie desquels elle chevauchait et qu'il repartit avec à peine un hochement de tête dans sa direction, elle sentit la moutarde lui monter au nez.

Par tous les… C'en était assez ! Elle ignorait quelle mouche l'avait encore piqué, mais elle avait la ferme intention de le découvrir et de mettre un terme aux humeurs pour le moins cycliques de Trey Brannigan à son endroit.

S'excusant auprès de Janet et Ted, elle tourna bride et, lançant Clair de Lune au trot, elle s'élança à la suite de Trey, lequel lui lança un regard étonné par-dessus son épaule.

Alors elle alla se placer à sa hauteur, rassembla son courage et déclara :

— J'aimerais vous parler quelques instants en privé, monsieur Brannigan.

Trey se doutait que ce moment viendrait depuis l'instant où Meg s'était heurtée à lui dans l'écurie. Il ignorait encore comment gérer ce qu'il savait désormais de la « vraie » Meg Chastain, mais à l'évidence elle ne lui laisserait pas le temps d'y réfléchir davantage.

— A votre disposition, m'zelle Chastain, répondit-il donc, non sans la détailler lentement de la tête aux pieds, plus curieux que jamais de découvrir ce qui l'incitait à dissimuler des formes si avantageuses.

— J'aimerais savoir pourquoi vous soufflez tout le temps le chaud et le froid avec moi.

Etait-ce le cas ? A l'évidence, c'est ainsi qu'elle le voyait. Quant à lui, il ne savait qu'une chose :

il était incapable de se tenir à distance d'elle comme il l'aurait dû.

— Par moments, vous agissez comme si je n'existais pas, poursuivit-elle. Et à d'autres, vous…

Une légère rougeur lui monta aux joues, et comme elle baissait la tête sans achever sa phrase, il compléta :

— Je vous… embrasse ?

Autant mettre les choses à plat et admettre qu'il existait entre eux une très forte alchimie.

— Je ne sais pas très bien moi-même, avoua-t-il. Mais avant de débattre avec vous de mon attitude, j'ai une question à vous poser.

Il tira sur les rênes puis descendit de cheval. Les autres cavaliers étaient devant eux, et personne ne remarquerait leur absence avant la prochaine halte. La jeune femme mit pied à terre à son tour puis le questionna, les bras croisés sur la poitrine :

— Pourquoi nous arrêtons-nous ?

Il se détourna pour attacher les deux chevaux à un buisson, ce qui lui permit de dissimuler son sourire. Il savait traduire le langage du corps féminin et n'ignorait pas qu'elle était sur la défensive. Ce qui lui convenait mieux que d'avoir d'emblée un chat sauvage sur le dos.

— Je suis passé à votre bungalow hier soir, pour m'assurer que vous vous étiez remise, déclara-t-il sans détour.

— Remise de quoi ? s'étonna-t-elle.

— Vous m'avez paru un peu secouée lorsque vous avez appris qui j'étais.

Ses larges verres fumés ne suffirent pas à masquer le rapprochement soucieux de ses sourcils, mais elle fit mine de hausser les épaules.

— J'aurais dû me douter de qui vous étiez, c'est vrai. Mais de là à en être choquée, vous exagérez un peu.

— Vraiment ? En tout cas, vous avez réagi de manière plutôt étrange, d'où mon inquiétude.

— Et ?

Incertain de savoir quoi lui dire exactement, il décida de s'en tenir à la vérité. Puisqu'elle était déjà sur la défensive, autant passer directement à l'offensive :

— Pourquoi vous cachez-vous sous un déguisement ?

Meg se raidit aussitôt.

— Me… Me cacher ? Qu'est-ce qui vous fait dire ça ?

165

Il accrocha son regard, mais en vain : elle brisa le contact au bout d'une seconde à peine.

— Eh bien, je m'apprêtais à frapper à votre porte…

— Vous auriez dû, si j'étais encore debout. Vous auriez ainsi pu constater que j'allais parfaitement bien.

— Vous étiez encore debout, en effet, et vous alliez rudement bien, observa-t-il, sibyllin.

Elle demeura un instant silencieuse, et c'est tout juste s'il ne vit pas les rouages de son cerveau s'emballer.

— Venez-en au fait, Trey, rétorqua-t-elle enfin avec un soupir d'exaspération.

— Vous étiez au téléphone. Vous vous rappelez ?

— Oui, je venais de prendre une douche et j'appelais… chez moi. Ensuite, je me suis couchée. Et je n'ai pas la moindre idée de ce que « rudement bien » veut dire.

Sa voix mourut sur ces derniers mots, et le silence s'étira inconfortablement entre eux, tandis qu'une lueur d'appréhension naissait dans les yeux verts. Meg commençait à comprendre.

— Les téléphones portables sont-ils donc interdits dans l'enceinte du ranch ? lança-t-elle d'un ton dédaigneux. Alors, enchaîna-t-elle tandis qu'il niait lentement de la tête, où voulez-vous en venir ?

Comme il ne daignait pas répondre tout de suite, elle s'écarta d'un pas et saisit les rênes de son cheval.

— J'ai horreur des devinettes, alors dites ce que vous avez à dire ou laissez tomber.

Etait-ce de la frustration ou de la peur qu'il devinait dans sa voix ? il n'aurait su le dire, mais le temps était venu d'obtenir les réponses qu'il désirait si ardemment.

— D'accord, plus de devinettes. De ma part du moins. Et de la vôtre ?

Meg lui décocha un regard méprisant puis agrippa le pommeau de sa selle, prête à monter.

Trey avança aussitôt de deux pas pour poser une main sur la sienne.

Elle se figea, mais sans se tourner vers lui.

— Regardez-moi bien, Meg, ordonna-t-il à voix basse. Je suis un homme plutôt simple, et qui en tout cas ne triche pas.

— Parce que me laisser croire que vous n'étiez rien de plus qu'un simple vacher dans ce ranch, ce n'était pas tricher, peut-être ? rétorqua-t-elle d'un ton cinglant.

De sa main libre, il lui prit le menton pour l'obliger à se tourner vers lui. Des larmes brillaient dans les yeux verts, et à cette vue sa colère s'évanouit d'un coup.

— C'est que j'ignorais vraiment que vous ne saviez pas qui j'étais, objecta-t-il. Mais vous…

Il secoua la tête.

— Cette serviette de bain que vous portiez hier soir, elle ne laissait guère de place à l'imagination.

— Je… Oh ! s'exclama-t-elle, gênée.

Lui ayant fait lâcher les rênes, il l'écarta du cheval puis reprit :

— Je me doutais déjà de quelque chose, de toute façon. La première fois où je vous ai aidée à descendre de Clair de Lune, déjà, j'ai su que les apparences étaient trompeuses en ce qui vous concernait.

Ce qu'il n'avoua pas, par contre, c'était que même avant ça, elle le troublait déjà. Aussi impensable que ce soit, une femme complètement différente de celles qu'il avait connues jusque-là était parvenue à l'atteindre. Découvrir qu'elle ne l'était tout compte fait pas tant que

168

ça n'y changeait rien, ce qui n'avait vraiment aucun sens.

— Tout ce que je veux savoir, c'est pourquoi. Pourquoi vous déguisez-vous ?

— C'est une longue histoire, répondit-elle avec un soupir. Pour faire simple, disons que je veux avant tout être appréciée pour ce que je suis, et non ce dont j'ai l'air. Vous êtes vous-même plutôt bel homme, peut-être pouvez-vous le comprendre...

— Je me suis toujours dit que ça avait plutôt à voir avec mon charme, repartit Trey en haussant à demi les épaules.

Le faible sourire de Meg ne le dédommagea pas de cette plaisanterie plus faible encore. De l'avis général, ses frères et lui étaient plutôt beaux garçons, mais ils n'étaient certainement pas les seuls, et il avait toujours fait en sorte d'être avant tout lui-même.

— A l'évidence, vous ne comprenez pas, se désola-t-elle d'une voix résignée.

— Attendez ! lança-t-il comme elle se détournait.

Otant son chapeau, il se passa une main dans les cheveux. Les choses étaient encore plus ardues qu'il ne l'aurait cru.

— Je crois comprendre, mais… Et ce coup de fil ?

— Je vous l'ai dit : j'appelais chez moi.

— Non, celui que vous avez pris dans mon bureau. Juste après que vous avez appris que j'étais…

— Bufford ? compléta-t-elle avec un sourire narquois.

Il savait qu'il ne craignait rien dans ces solitudes, mais par pure habitude il jeta un regard autour de lui pour vérifier que personne n'écoutait.

— Je vis avec ma tante qui souffre d'asthme sévère, et mon voisin m'appelait pour m'informer qu'il l'avait conduite à l'hôpital, expliqua-t-elle.

— J'en suis navré, commenta Trey, honteux.

Lui qui avait craint que ce ne soit un autre homme ! Bon sang, il perdait complètement pied ! D'habitude, peu lui importait que ses chéries du moment fréquentent ou pas quelqu'un d'autre !

— Est-ce qu'elle va bien ?

— Aussi bien que possible, mais avec la pollution dans la ville où nous vivons, ça ne peut qu'empirer. A part si…

— Si quoi ?

— J'espère avoir un jour les moyens de lui offrir un meilleur environnement, dit Meg avec un sourire triste. Je lui dois au moins ça, et tellement plus encore.

— Elle doit vous être très chère, commenta-t-il, ému par la farouche expression de tendresse des yeux verts.

— Elle m'élève depuis que j'ai dix ans, expliqua Meg. Ma mère est morte peu avant, et mon père nous avait abandonnées alors que je n'étais encore qu'un bébé. Ce n'est qu'avec tante Dee que j'ai enfin appris ce que c'était d'être insouciante et heureuse. Aujourd'hui, j'aimerais juste lui rendre à mon tour la vie un peu plus facile.

Tandis qu'ils rejoignaient les autres qui s'étaient arrêtés à l'ombre pour une brève collation, Trey songea longuement à tout ce que Meg lui avait dit. Il ne se souvenait pas avoir connu quiconque, homme ou femme, d'aussi dévoué qu'elle. Mais s'il ne l'en appréciait que davantage, il était plus perplexe que jamais. D'un côté, il venait de découvrir qu'elle était tout à fait son type de femme physiquement, mais de l'autre elle lui semblait toujours être du type à se marier. Et lui pas.

Alors à quoi bon ?

Meg détestait mentir, mais elle n'avait eu d'autre choix que d'avouer à Trey une partie seulement de la vérité. Lorsqu'il apprendrait pour le reste, elle serait loin, heureusement !

Descendue de cheval, elle s'apprêtait à rejoindre les Henderson pour déjeuner en leur compagnie, lorsqu'à quelques mètres de là, elle aperçut Carrie qui, toujours en selle, paraissait avoir quelques difficultés à manœuvrer sa petite jument pommelée. A la voir si frêle sur l'animal, elle s'inquiéta. Mais à peine eut-elle le temps d'avancer de deux pas dans leur direction que la jument partit au grand galop.

Sans même réfléchir, elle se hissa en selle et se lança à sa poursuite.

A quelque distance de là, Trey s'activait en compagnie des autres vachers. Il ne restait plus qu'à espérer qu'il n'était pas trop loin pour l'entendre.

— Trey ! Trey, à l'aide ! hurla-t-elle à pleins poumons.

# 9.

Trey tourna la tête, et aperçut Meg lancée au grand galop.

Avait-elle donc perdu l'esprit ?

Tandis qu'il sautait en selle, il distingua au-delà d'elle le nuage de poussière d'une autre monture, grise et blanche — la jument de la petite !

Son cœur cessa de battre, mais son corps, heureusement, se mit en mouvement de lui-même et lança Tentation au triple galop.

Meg comblait peu à peu la distance qui la séparait de l'enfant, mais il n'ignorait pas qu'elle n'avait pas la moindre idée de quoi faire. Elle aurait bien de la chance, déjà, si elle pouvait ralentir sa propre monture ! Tout pouvait arriver, et à cette pensée une peur bleue le saisit.

Il perçut de l'agitation derrière lui : plusieurs cavaliers se lançaient aussi dans la poursuite. Non qu'ils puissent être d'une grande aide, hélas.

173

A quelques dizaines de mètres devant lui, le nez du cheval de Meg atteignait à présent la croupe de celui de Carrie, et il la vit crier quelque chose à l'enfant. Carrie jeta un coup d'œil par-dessus son épaule, et il crut mourir lorsqu'elle chancela tout à coup sur sa selle. Tout alors, parut se dérouler comme au ralenti : la fillette parvint à se rétablir — un miracle, au train d'enfer où elle allait ! — tandis que Clair de Lune gagnait peu à peu du terrain. Et soudain, le cœur au bord des lèvres, il vit Meg étendre le bras pour tenter d'attraper Carrie !

Il éperonna violemment Tentation, anxieux de parvenir à portée de voix de la jeune femme, à qui il hurla :

— Meg ! Meg, n'essayez surtout pas de l'attraper ! Tenez bon !

Clair de Lune était à présent au niveau du cheval de la petite, lequel, heureusement, perdait peu à peu de sa fougue. Assez, en tout cas, pour qu'il puisse tenter quelque chose, à condition qu'il choisisse bien son moment et que Tentation ait encore quelques réserves.

— Lorsque je tendrai le bras, attrapez-le, enjoignit-il à Meg. Montez derrière moi et accrochez-vous.

Les genoux fortement pressés contre le flanc de sa monture, les rênes dans la main gauche avec laquelle il agrippa également le pommeau, il prit une brève inspiration puis, se penchant autant qu'il lui était possible, il étendit le bras en direction de la jeune femme. Le vide qui les séparait, il le savait, devait lui paraître semblable au Grand Canyon, mais elle ne laissa transparaître aucune émotion. Sans lâcher ses rênes, elle tendit une main vers lui.

— Lâchez les rênes. Maintenant ! la pressa-t-il comme elle hésitait encore.

Puis, dès qu'il sentit la main de la jeune femme s'agripper à son avant-bras et le poids de son corps s'y appuyer, il lança de toutes ses forces son bras en arrière pour la faire basculer derrière lui. Il manqua perdre l'équilibre comme elle s'agrippait désespérément à son épaule gauche. La lâchant, il s'accrocha de toutes ses forces au pommeau de sa selle, tandis que sa vision se brouillait sous le choc, puis s'éclaircissait peu à peu.

Meg était sauvée, mais restait encore Carrie.

Débarrassée de sa cavalière, Clair de Lune se laissa distancer, ce qui permit à Trey de se rapprocher de la jument. Avec le poids additionnel de Meg, cependant, il n'était pas certain de pouvoir attraper la fillette sans qu'ils basculent tous trois à terre, probablement sous les sabots des chevaux ! A moins que...

— Meg ! hurla-t-il par-dessus son épaule. Quand je me pencherai sur la droite pour attraper Carrie, penchez-vous sur la gauche.

L'avait-elle entendu ? Oui ! Voilà qu'elle s'exécutait. Sans plus réfléchir, il libéra sa main droite, et cria à la fillette :

— Carrie, je vais t'attraper. N'aie pas peur, mais ça va secouer un peu.

L'enfant le fixa, les yeux fous. Sur son visage livide, ses taches de rousseur ressortaient sur les ailes de son nez telles des fourmis en marche au travers d'un désert aride.

— Est-ce que tu m'as entendu ? Bien, tu es prête ?

La fillette hocha la tête, la bouchée pincée de détermination.

— Parfait, l'encouragea-t-il avec un sourire. Je compte jusqu'à trois. Un, deux...

Meg toujours penchée côté gauche pour contrebalancer son poids, il s'inclina vers la droite, main tendue, prit une profonde inspiration et lança :

— Trois !

Malheureusement, il calcula trop court et ne put comme il l'avait prévu enlacer la taille de Carrie. Et impossible de retenter la chose sans les mettre tous les trois en danger.

Aussi agrippa-t-il la chemise de l'enfant pour l'attirer à lui d'un coup sec puis se redressa sur sa selle, aussitôt imité fort intelligemment par Meg.

Installant Carrie devant lui, il entreprit de freiner l'étalon.

Désorientée par la perte de sa cavalière, la jument était déjà à plusieurs mètres derrière eux, déjà rattrapée par le groupe de cavaliers venus à leur rescousse.

— Quelle frayeur ! s'exclama Pete dès qu'ils les eut rejoints, livide sous sa barbe. Tu vas bien, petite ?

Au grand soulagement de tous, la fillette hocha la tête, ravala ses larmes et s'enquit :

— Oui, mais… et Carotte ?

L'espace d'un instant, tous en demeurèrent bouche bée, puis Pete affirma avec un petit rire :

— T'inquiète pas, ta farceuse de jument se porte comme un charme.

Chace descendit de selle à son tour.

— Ah, ça ! Sacrée cascade ! Tu t'es drôlement amélioré depuis tes débuts au rodéo, frérot !

Ebranlé, Trey ne put qu'émettre un faible rire.

A présent que l'urgence du danger était passée, c'étaient les bras de Meg autour de sa taille qui le troublaient.

— Laissez-moi vous aider à descendre, offrit Chace à la jeune femme.

La chaleur du corps féminin délaissa Trey, qui tourna la tête juste à temps pour la voir flageoler sur ses jambes. Chace la stabilisa, tandis qu'il se hâtait de sauter à terre.

— Vous êtes blessée ! s'exclama Chace, avant de jeter un curieux regard à son frère.

— Que se passe-t-il ? s'alarma aussitôt Trey. Meg, que…

Elle pivota vers lui, et ce qu'il vit lui ôta la voix. Les boucles châtaines étaient tout de guingois et en laissaient apercevoir d'autres, plus soyeuses et… d'un noir de jais ! Une perruque ?

Elle se tourna de nouveau vers Chace, à l'évidence consciente qu'il se passait quelque chose, puis elle leva une main vers son front et pâlit.

— Je crois que c'est sa cheville, annonça

Chace d'une voix tendue. Je vais les ramener au ranch, Carrie et elle. J'espère que vous ne voyez pas d'inconvénient à remonter en selle, mademoiselle Chastain, observa-t-il ensuite à l'intention de Meg. Le cheval est le seul moyen de transport qui puisse parvenir jusqu'ici.

Meg, qui venait d'ôter sa perruque, hocha la tête sans croiser le regard de personne.

— Je comprends.

Muet, Trey laissa son frère examiner la cheville de la jeune femme.

« Pourquoi portez-vous une perruque ? » brûlait-il de hurler. Mais la phrase, parfaitement formulée dans son esprit, se refusa à franchir ses lèvres.

Pete installa ensuite Meg et une Carrie encore secouée sur Clair de Lune, puis attacha la jument Carotte enfin apaisée à l'arrière de la selle. Chace partit avec elles, promettant de les informer sur l'état de la cheville de Meg aussitôt qu'il en saurait davantage.

Trey regarda s'éloigner le petit groupe, furieux. Pour la seconde fois de sa vie, il avait été dupé par une femme. Et se répéter que la jeune femme en question était blessée n'améliorait hélas en rien son humeur, d'autant qu'à présent Pete et tous les autres le regardaient, interdits.

Fou de rage, il foudroya son équipe du regard.

— Et le troupeau ? Qui s'en occupe ? hurla-t-il.

De retour au ranch alors que le soleil de l'après-midi laissait peu à peu place au crépuscule, Meg ne savait qu'une chose : elle serait éternellement reconnaissante à Chace Brannigan de n'avoir à aucun moment exprimé son étonnement de la voir avec sa perruque de travers.

Un choc pourtant inscrit sur son visage, de même que sur celui de Trey, à qui elle ne voulait surtout pas penser. Pas maintenant, en tout cas, et certainement jamais. Pas plus qu'elle n'aspirait à l'affronter de sitôt.

Prévenue par téléphone, Ellie vint les accueillir au corral, accompagnée de deux cow-boys qu'elle ne connaissait pas.

— Allez-y doucement, leur recommanda-t-elle comme ils s'apprêtaient à descendre Carrie de selle.

Ellie leva ensuite les yeux sur elle et les écarquilla à la vue de la perruque qu'elle tenait en main. Mais elle se tourna vers son mari sans le moindre commentaire.

— Les gars viennent juste de rentrer de l'hôpital et sont en pleine forme, annonça-t-elle. Alors j'ai envoyé Red aider avec le troupeau, et j'ai appelé le Doc. Il est en chemin.

— Je me suis simplement tordu la cheville. Vraiment, ce n'est rien, protesta Meg.

— Faites-moi plaisir et laissez-moi m'en assurer, voulez-vous ? répondit Ellie avec un sourire cordial qu'elle s'empressa de lui rendre, soulagée qu'elle ne prenne pas mal sa supercherie. Venez donc prendre un rafraîchissement dans le salon en attendant.

Avec l'aide de Chace, Meg clopina tant bien que mal à sa suite tandis que Carrie était confiée aux soins de sa grand-mère accourue à leur rencontre.

Le médecin, qu'elle soupçonnait de dissimuler une vraie gentillesse sous ses airs bourrus, arriva quelques minutes plus tard. Après un examen rigoureux, il les déclara très chanceuses et tomba d'accord avec son diagnostic : une cheville foulée. Douloureux, mais rien de sérieux. Avec un peu de glace et du repos, elle serait vite sur pied.

Elle fut soulagée, toutefois, lorsque Ellie lui apporta une paire de béquilles.

— Ne vous inquiétez pas, j'ai l'habitude des béquilles, assura-t-elle ensuite lorsque la jeune femme offrit de la raccompagner. Je me débrouillerai très bien toute seule.

Elle boitilla donc jusqu'à son bungalow puis, après une douche rapide, entreprit de faire ses valises.

Elle comptait partir aussitôt qu'elle les aurait chargées dans sa voiture et éviter ainsi tout risque de revoir Trey. Elle savait lui devoir une explication, mais elle préférait la lui donner par écrit, une fois son article remis à Géraldine.

Une première valise en main et une béquille dans l'autre, elle sortit sous la véranda et inspira profondément l'air de la prairie.

Le *Triple B* lui manquerait. Dommage qu'elle ne puisse y revenir. Mais s'aliéner Trey était le prix à payer pour concrétiser enfin leur rêve, à sa tante et à elle. Du moins espérait-elle, en compensation de sa trahison, contribuer par son article au succès du ranch. Elle le devait à Trey, et son éloge serait tout à fait sincère de toute façon.

Parvenue clopin-clopant à sa Ford, elle s'apprêtait

à lancer sa valise sur le siège arrière, lorsqu'elle remarqua les phares d'un autre véhicule qui remontait l'allée. Epuisée par ce premier effort, elle s'appuya contre sa portière ouverte, sa valise à la main, et observa la progression du véhicule, lequel vint se garer tout à côté d'elle.

La nuit tombait, mais elle distingua néanmoins la haute silhouette charpentée de l'homme qui descendit de la jeep. Lequel se tourna vers elle aussitôt qu'il eut refermé sa portière.

— 'Soir, m'dame, salua-t-il avec un accent moins nasillard que celui de Trey, mais le même geste que ce dernier au rebord de son chapeau. Besoin d'aide ?

Comme il s'approchait, elle remarqua qu'il était un peu plus grand que Trey de quelques centimètres, mais la ressemblance était frappante. Même par une si faible clarté, elle devinait que les yeux de l'inconnu étaient du même bleu, même si ses cheveux étaient plus sombres, presque noirs. Le troisième frère, sans aucun doute.

— Je peux me débrouiller, mais merci, accepta-t-elle.

— Y a pas de quoi.

Il lui prit la valise des mains, puis questionna :

— Vous partez ou vous arrivez ?

— Je pars.

Il déposa la valise sur le siège arrière, se redressa puis demanda :

— D'autres bagages ?

— Un sac et un vanity.

— Dites-moi où.

Son ton cordial mais un rien impérieux la dissuada de décliner l'offre, et elle répondit avec un haussement d'épaules :

— Suivez-moi, ce n'est pas très loin.

Il la suivit en silence jusqu'au bungalow où elle lui montra les deux autres bagages.

Que faire de la clé ? s'interrogea-t-elle. Finalement, elle décida de la laisser sur la table basse, puis, après un dernier coup d'œil nostalgique à la pièce, referma la porte derrière elle.

Le temps qu'elle atteigne la voiture, tous ses bagages étaient chargés et son porteur l'attendait devant la portière ouverte.

— Qu'est-il arrivé à votre cheville ? s'enquit-il.

— Accident de cheval, lança une voix derrière elle. Pourquoi diable ne nous as-tu pas prévenus que tu rentrais, Dev ?

Chace et Ellie venaient dans leur direction.

Flûte ! se désola Meg. Et elle qui espérait s'éclipser en douce !

A ses côtés, le nouveau venu partit d'un petit rire.

— Faut croire que j'arrive toujours comme un cheveu sur la soupe ! plaisanta-t-il, avant de se tourner vers Meg et de déclarer, un doigt à son Stetson : Devon Brannigan, à votre service, m'zelle.

Nullement surprise, elle lui tendit la main.

— Meg Chastain. Merci encore.

— C'était un plaisir. Navré de vous voir sur le départ.

— Sur le départ ? s'exclama Ellie. Oh, Meg, non !

De l'autre côté de la voiture, Chace se pencha pour regarder par la vitre.

— Tous ses bagages sont là.

— Vous ne pouvez pas partir ce soir, reprocha Ellie en se précipitant vers Meg. Attendez au moins jusqu'au matin. Je suis sûre que tout le monde voudra vous dire au revoir !

Tout spécialement Trey ! soupira Meg en son for intérieur. Lequel aurait certainement plus qu'un au revoir à lui signifier !

— C'est qu'avec ma cheville, le trajet me prendra plus longtemps, et…

— Restez au moins jusqu'au matin, insista Chace.

— J'insiste, moi aussi, renchérit à son tour Devon.

— Et puis j'ai quelque chose pour vous à la maison, reprit Ellie. Attendez, je vais le chercher.

N'ayant pas le cœur de décliner tant d'amitié, Meg décida de retarder son départ. Mais de quelques heures seulement, car elle comptait toujours partir aujourd'hui, même si ce devait être en plein cœur de la nuit.

Elle attendit donc qu'Ellie revienne tandis que les deux frères parlaient apparemment affaires. Sans qu'elle cherche à tendre l'oreille, toutefois. Elle disposait déjà de toutes les informations dont elle avait besoin pour son article, et sa visite officielle avait bel et bien pris fin.

Tout à coup, alors qu'Ellie revenait avec un objet en main, un martèlement de sabots se fit entendre au loin.

Elle n'aurait su dire comment, mais elle sut aussitôt que c'était Trey. Et aussi qu'elle était coincée !

— Tenez, c'est un cadeau, annonça Ellie.

Meg prit le T-shirt qu'elle lui tendait. Si seulement son cœur voulait bien s'arrêter de cogner si sourdement au rythme des sabots de ce cheval qui s'approchait !

Les mains tremblantes, elle le déplia lentement, et les larmes lui montèrent aux yeux. Sur le devant figurait une carte du Texas, et un grand cœur rouge entourait l'emplacement du ranch, avec dessous la phrase : « Mon cœur appartient au *Triple B*. »

— Oh, Ellie, murmura-t-elle, émue. Je le garderai précieusement, je vous le promets.

Mais ses paroles furent noyées par l'arrivée dans un nuage de poussière du cavalier et de sa monture.


Trey toisa Meg du haut de sa selle.

Bien qu'il ait eu plusieurs heures pour se calmer, il était encore dans une rage noire. Trop de questions le taraudaient, et il venait en exiger les réponses. Les vraies réponses. Ce qu'il ferait aussitôt qu'il pourrait éloigner Meg d'Ellie, de Chace et de celui, qui que ce soit, qui se tenait debout dans la pénombre derrière eux.

Il plissa les yeux pour mieux le distinguer.

— Dev ?

— Comment ça va, gamin ?

— Je suis en effet le plus jeune de nous trois, mais quand vas-tu enfin cesser de m'appeler ainsi ? s'agaça-t-il.

— Ouh là ! s'exclama son frère avec un coup d'œil narquois à Chace. Qui a donc mis un oursin sous sa selle ?

— Qui veille sur les clients ? questionna un peu plus sérieusement Chace.

— Pete, répondit Trey.

Chace en ôta son chapeau de contrariété.

— Pete a déjà assez à faire ! Es-tu en train de me dire qu'il y a neuf clients là dehors, qui n'y connaissent rien de rien, et que Pete doit s'en occuper en plus de tout un troupeau ?

Le fusillant du regard, il renfonça son Stetson sur sa tête puis se pencha pour déposer un baiser sur la joue de sa femme.

— A demain, ma chérie.

Trey se hâta de descendre de selle pour le stopper, mais Ellie le devançait déjà.

— Il est inutile que tu y ailles, Chace. Ils ont dû faire halte pour la nuit, et je leur ai déjà envoyé Red pour donner un coup de main.

— Elle a raison, Chace, enchérit Trey. Ceci

dit, si ça ne vous ennuie pas, j'aimerais avoir un entretien en privé avec Meg.

Tous se tournèrent vers la jeune femme, dont les yeux écarquillés suggéraient qu'elle était sur le point de prendre ses jambes à son cou.

Ce qu'il n'avait aucune intention de lui laisser faire. Pas avant d'en avoir le cœur net, en tout cas.

— C'est donc ça ! commenta Dev avec un petit rire de gorge.

Trey lui décocha un regard d'avertissement, puis vociféra :

— J'ai dit en privé ! Et qu'est-ce que tu fais là, toi, d'abord ?

— C'est que je me suis dit que ce s'rait pas plus mal de vous apporter la nouvelle de vive voix, répondit son aîné d'une voix traînante.

— La nouvelle ? répéta Ellie.

— Est-ce à propos du procès avec J.R ? s'enquit Chace d'une voix mal assurée.

— Ouais.

Le silence retomba, puis Trey lança :

— Alors ? Tu nous la dis, ta nouvelle, ou pas ?

— C'est qu'il n'y a pas grand-chose à dire,

tergiversa Dev en s'appuyant nonchalamment contre sa jeep.

— Bon sang, Dev, viens-en au fait, tu veux ? gronda Trey.

— Eh bien, le juge a rejeté l'appel, annonça enfin Dev avec un sourire de guingois. Et il a aussi averti J.R que s'il continuait à faire du grabuge dans la région, il y perdrait des plumes ! Le *Triple B* appartient de plein droit aux Brannigan et à personne d'autre, frangins !

L'espace d'une fraction de seconde, le silence retomba de nouveau, puis Chace enlaça sa femme, tandis que Trey et Dev se congratulaient de vives tapes dans le dos.

Mais Trey avait plus urgent à régler. Personne ne faisant plus attention à lui, il s'approcha discrètement de Meg.

— Donnez-moi vos béquilles, lui enjoignit-il.

Elle les lui tendit, surprise, et il les coinça sous un bras. Puis il la souleva et l'emporta loin des autres, qui ne remarquèrent même pas leur départ.

Il la déposa quelques mètres plus loin sur une grosse pierre qui affleurait près d'un arbre.

Les béquilles posées contre le tronc, hors de sa portée, il recula d'un pas et décréta :

— Vous me devez une explication.

Meg hocha la tête, tête baissée.

— Oui, je suppose.

Il ne s'attendait pas à la trouver si complaisante, presque humble, et cela l'irrita davantage encore.

— Je veux la vérité, Meg. Plus de mensonges, juste la stricte vérité.

— D'accord.

Il attendit, mais elle n'ajouta rien de plus, triturant une sorte de foulard entre ses mains.

Alors, avec un lourd soupir, il s'agenouilla devant elle.

— Regardez-moi.

Elle releva la tête et soutint son regard, mais toujours sans le moindre mot.

— Pourquoi portiez-vous cette perruque, Meg ?

— Elle faisait partie du déguisement.

Il n'y crut pas une seconde et rétorqua d'une voix pleine de sarcasme :

— Celui sous lequel vous vous cachez pour être acceptée telle que vous êtes ?

— Pas tout à fait… Je ne vous ai pas dit toute

la vérité, avoua-t-elle d'une voix dont la détermination le mit mal à l'aise.

Elle prit une profonde inspiration.

— Richard Emery n'est pas le journaliste de *Trail's End*. Ce journaliste, c'est moi.

Même si, quelque part dans les sombres recoins de son esprit, il s'en doutait, entendre Meg l'avouer le fit chanceler.

— Vous ?

— Oui, moi. Je ne suis qu'une des secrétaires de l'équipe de rédaction, mais lorsque celui qui devait venir s'est désisté à la dernière minute, j'ai demandé à prendre sa place.

— Vous !

Trey sentit sa colère redoubler. Ainsi, elle s'était jouée de lui depuis le moment où elle avait mis le pied au *Triple B* ! De lui et de sa famille. Etre pris pour un idiot ne lui avait jamais plu, mais là il vit carrément rouge.

Se redressant, il serra les poings contre ses flancs pour ne pas réagir par la violence.

— Donc, tout n'était que mensonge. Votre seul but était d'écrire un article, n'est-ce pas ? Et pour ce faire, vous nous avez tous pris pour des imbéciles !

— Je n'ai pris aucun d'entre vous pour un

imbécile, contesta-t-elle. Tout votre personnel est formidable.

Elle se redressa lentement, prudemment, prenant appui sur le tronc.

Il songea à l'aider, ce n'était pas dans sa nature de se conduire en mufle avec les femmes. Pourtant, il se força à reculer d'un pas, plus loin d'elle encore.

— Si vous connaissez un tant soit peu le magazine, reprit-elle sans le regarder, vous devez savoir que l'identité du journaliste n'est révélée que lors de la parution de l'article. Vous le savez, n'est-ce pas ? insista-t-elle en accrochant son regard.

Il le confirma d'un bref hochement de tête. Bien sûr qu'il le savait ! Mais à son sens, ça ne changeait rien.

— Qu'allez-vous dire dans votre article ?

— Je ne peux pas vous le révéler.

— Vous ne pouvez pas, ou vous ne le voulez pas ?

— Je ne le peux pas.

— Et le classement ? insista-t-il encore avec hargne. Quel classement nous donnez-vous ?

Elle se pencha en avant, les traits figés par sa détermination.

— Trey, je ne peux pas vous le dire, répéta-t-elle.

— Et pourquoi pas, bon sang ? s'exaspéra-t-il alors. Quelle différence ça ferait ? Nous l'apprendrons bien quand l'article paraîtra ! Alors pourquoi pas maintenant ?

— Parce que ça pourrait me coûter mon emploi, et que j'en ai désespérément besoin ! rétorqua Meg. Mais à l'évidence, vous ne le comprendrez jamais !

— Oh si, je comprends très bien, contre-attaqua-t-il, mais ce que j'ai du mal à croire, c'est que ça puisse importer tant que ça.

Elle le fixa, incrédule, puis se récria :

— Et pourquoi pas ? Vous, vous avez votre ranch et une famille unie autour de vous ! Alors que tout ce que j'ai, moi, c'est mon travail et ma tante Dee qui est souffrante. C'est tout. Et si je perds l'un, je perdrai peut-être aussi l'autre !

Trey, alors, s'avança pour lui effleurer la joue d'une main.

— Et nous ? se risqua-t-il à chuchoter. Et ce qui s'est passé entre nous ? Est-ce que ça ne compte pas ?

Il demeura immobile, le souffle court. Il ignorait d'où lui venait cette question, à moins que ce

194

ne soit de son… Oui, de son cœur, qui lui parut s'arrêter tandis que le silence s'éternisait.

Meg ferma brièvement les yeux, puis les rouvrit pour les plonger dans les siens. Mais à la place de la douce, tendre expression qu'il avait l'habitude d'y voir étincelait un dur éclat métallique.

Dans sa poitrine, le cœur de Trey rua puis s'emballa, alors qu'elle articulait lentement :

— Il ne s'est rien passé.

# 10.

— Alors, qu'est-ce que t'en dis, p'tit frère ?

Trey releva les yeux de l'extrémité de ses santiags, l'esprit tout entier accaparé par Meg.

— Qu'est-ce que je dis de quoi ?

Chace, avachi dans le fauteuil qu'affectionnait autrefois leur père, partit d'un petit rire.

— Eh bien, de si oui ou non nous avons fait bonne impression à Richard Emery ? Après tout, c'était toi qui tenais tant que ça à obtenir ce classement cinq étoiles. Tu crois que c'est gagné ?

Trey grimaça sous l'effet d'une vive douleur dans sa poitrine. Enfin, pas vraiment une douleur, mais…

Il secoua la tête.

— Y a plus qu'à attendre, de toute façon, éluda-t-il.

Puis il se redressa, alla poser sur le manteau

de la cheminée le verre de bourbon qu'il n'avait même pas pris la peine de goûter et se tourna vers sa famille enfin réunie.

Il se réjouissait de revoir Dev, et les nouvelles concernant J.R étaient plus qu'aucun d'eux n'avait espéré, mais il n'avait vraiment pas le cœur à célébrer leur victoire.

— Où vas-tu ? s'étonna Ellie comme il prenait la direction de la porte.

— Dehors. J'ai besoin d'air, lança-t-il par-dessus son épaule sans même prendre la peine de leur jeter un regard.

Qu'ils pensent donc ce qu'ils voulaient, se dit-il. Il avait lui aussi à cogiter.

Aussitôt qu'il émergea sous la véranda, il jeta un coup d'œil en direction du bungalow de Meg. La lumière en était éteinte, et il se demanda comment elle parvenait à dormir. Il pressentait, lui en tout cas, qu'il ne fermerait guère l'œil de la nuit.

Comment avait-il pu se tromper à ce point à son sujet ?

Elle n'éprouvait rien pour lui, absolument rien. Et bon sang, que c'était douloureux ! Même des années plus tôt, alors qu'il avait été la risée de toute la région, il n'avait pas souffert à ce point.

Mais peut-être que s'il lui parlait, s'il lui affirmait qu'il ne lui en voulait pas de ne rien lui dire à propos de l'article, peut-être alors redeviendrait-elle la Meg qu'il avait appris à connaître ?

Naturellement, elle n'apprécierait guère d'être réveillée en plein milieu de la nuit, mais s'il mettait les choses au clair, tout s'arrangerait. Il s'y était mal pris, tout simplement.

Il traversa la pelouse, s'essayant mentalement à diverses excuses. Aucune ne sonnait vraiment bien, mais il était prêt à tout.

Sur son seuil, cependant, il hésita. Pour peu qu'il frappe et qu'elle demande qui c'était, elle n'ouvrirait peut-être pas. Alors il tourna directement la poignée de la porte, heureusement non verrouillée.

Il attendit que sa vision s'ajuste à la pénombre de l'intérieur de la pièce, à l'affût du moindre son. Puis, attentif à ne se cogner à aucun meuble, il tâtonna en direction de la chambre. Laquelle était suffisamment éclairée par le clair de lune qui pénétrait par la fenêtre, près du lit.

Un lit où ne se trouvait pas Meg !

Il balaya la pièce du regard, en quête d'indices de sa présence, mais le lit était fait et l'endroit dénué du moindre objet personnel, à l'exception de son parfum qui flottait encore dans l'air... Mais hélas pas assez fortement pour suggérer qu'elle pût être encore dans les parages.

Il retourna vers la table basse et actionna l'interrupteur de la lampe, qui baigna la pièce d'une clarté diffuse : inoccupé, le bungalow donnait l'impression que Meg n'y avait même jamais mis les pieds.

La panique au cœur, il se rua alors en direction du parking : la vieille Mustang rouillée n'était plus là.

Meg était partie ! Sans même un au revoir, et sans lui laisser la moindre chance de se rattraper.

La colère, alors, explosa en lui, si aveuglante que lorsqu'il dévia sur la gauche, il manqua se heurter à un arbre. Celui près duquel ils s'étaient entretenus un peu plus tôt.

De rage, il assena son poing en plein milieu du tronc. La douleur physique, violente, se mêla à l'autre, celle de son cœur, et ce n'est que lorsqu'elle s'atténua qu'il aperçut quelque chose à ses pieds. C'était le morceau d'étoffe que Meg triturait lors de leur conversation. Il le ramassa, et un doux parfum lui monta aux narines.

Il manqua jeter l'étoffe à terre, au lieu de quoi il l'emporta avec lui dans l'écurie.

Il n'aurait su dire depuis combien de temps il était assis à méditer sur les sacs de grain lorsque Chace vint le débusquer.

— Hé, Trey, il se fait tard, lâcha-t-il.

— Tu l'as trouvé ? lança Dev du seuil.

— Ouais, il est là, confirma Chace.

Il attendit que son cadet l'ait rejoint, puis précisa :

— Dev avait dans l'idée qu'il fallait qu'on te trouve.

Les yeux fixés sur ses mains crispées entre ses genoux, Trey ne répondit rien.

— J'me disais, dit alors Dev, qu'on devrait peut-être construire un local — tu sais, un endroit où les gens pourraient se réfugier quand il fait trop chaud dehors, pour jouer aux cartes, au ping-pong ou même juste discuter. En tout cas, ça pourrait être utile.

Trey daigna alors relever les yeux.

— Tu comptes rester ?

Puis, comme son frère ne répondait pas, il secoua la tête et maugréa :

— Alors qu'est-ce que ça peut bien te faire ?

— Trey...

— Non, Chace. Comme toujours, Dev ne restera même pas pour s'en occuper jusqu'au bout ! s'exaspéra-t-il. Puis, sentant le regard de ses frères peser lourdement sur lui, il releva les yeux à l'instant où Dev questionnait :

— Qu'est-ce qui te mine, gamin ?

Trey abaissa de nouveau son regard sur les profondes éraflures qui entaillaient les jointures de sa main droite.

— Rien.

Mais, devant lui, Chace se racla la gorge.

— Ce doit être Meg.

— Meg ? répéta Dev. Tu veux parler de cette charmante jeune femme que j'ai aidée avec ses valises ?

A ces mots, Trey releva vivement la tête. Dev l'avait aidée à partir ? Voilà qui ne l'étonnait pas plus que ça !

— C'était elle, la journaliste, n'est-ce pas, Trey ? s'enquit Chace.

— Tu le savais ?

Chace haussa une épaule.

— Ça nous a paru logique, à Ellie et moi, après l'incident de la perruque.

— Une perruque ? s'étonna Dev. Attendez une minute. Ces longs cheveux noirs, c'était pas une perruque, ça, je peux le jurer.

Trey bondit sur ses pieds.

— Ah oui ? Et qu'est-ce que t'en sais ?

— Du calme, gamin. J'ai aucune intention de te piquer ta femme, se justifia hâtivement son frère en reculant d'un pas. C'est juste que j'ai deux yeux, et dix sur dix à chacun !

Trey s'effondra de nouveau sur les sacs de grain.

— Ce n'est pas ma femme. Alors si elle te plaît, tu n'as qu'à aller la chercher. Parce qu'elle est partie.

— Ça, c'est ce que je craignais, commenta Chace. Ellie l'avait pourtant presque convaincue de rester, avant qu't'arrives ! Qu'est-ce que t'as donc fait pour la faire fuir ?

— Rien du tout, mentit Trey entre ses dents serrées. Alors si Dev…

— Ah non, pas moi, coupa ce dernier. C'est plutôt toi qui devrais aller la chercher.

— Je le lui ai déjà dit, observa Chace. Mais crois-tu qu'il m'écouterait ?

202

— Pourquoi t'écouterait-il aujourd'hui, alors qu'il ne l'a jamais fait auparavant ? ironisa Dev. Ni toi ni moi, d'ailleurs.

— Ne la perds pas bêtement, Trey, avertit Chace. J'en ai été à deux doigts, moi aussi. Qu'est-ce que c'est que ça ?

Trey lui tendit le morceau d'étoffe qu'il tenait, et que son frère déplia.

— Tiens, le cadeau d'Ellie. Pourquoi l'a-t-elle laissé ?

— Parce que contrairement à ce qu'affirme cet idiot de T-shirt, elle se fiche comme d'une guigne du *Triple B* !

« Et de moi ! » s'abstint d'ajouter Trey.

— Va quand même t'en assurer, Trey, insista Chace.

Trey reprit le T-shirt, et le jeta sur les sacs de grain.

— Non, je passe, merci. J'ai suffisamment de quoi faire avec le *Triple B*. Et des tas de jolies filles alentour pour m'occuper davantage en cas de besoin.

Les bras encombrés de paquets, Meg batailla avec son porte-clés pour dénicher celle de son appartement. Si elle n'avait pas découvert que sa dernière paire de collants était filée, ses bagages seraient déjà faits et elle serait déjà en route pour le Wyoming, se désola-t-elle, consultant sa montre à son poignet.

Mais plutôt que de noter l'ampleur de son retard, elle nota tout autre chose.

Quinze minutes ! Cela faisait quinze bonnes minutes qu'elle n'avait pas pensé à Trey Brannigan. Preuve qu'elle allait décidément mieux, au bout de deux semaines à s'efforcer de l'oublier. Déjà quinze minutes sans y penser ! A l'âge de la retraite, peut-être arriverait-elle à n'y plus penser du tout...

Perspective peu réjouissante, tout compte fait, s'avisa-t-elle tandis qu'elle trouvait enfin sa clé et l'insérait dans la serrure. Du moins avait-elle réussi à ne rien trahir devant tante Dee, ce qui n'avait pas été sans mal alors qu'elle n'avait plus eu qu'une seule envie après avoir rendu l'article : dormir et pleurer.

Dérèglement hormonal, avait-elle prétexté. Ce qui n'était pas si loin de la vérité, parce que si le *Triple B* y avait gagné son classement cinq étoiles, elle-même y avait perdu son cœur.

Tournant la poignée, elle ouvrit la porte et pénétra dans le salon.

— Bonsoir, ma chérie, la salua aussitôt sa tante de sa voix toujours un peu essoufflée. Nous avons un visiteur.

Bouchée bée, Meg regarda l'homme assis face à sa tante se lever.

— Comment va, Meg ?

Le cœur de Meg s'emballa, et le temps, tout à coup, se figea.

— T… Trey. Que faites-vous là ?

— M. Brannigan me parlait de son ranch, expliqua Dee. Tu ne m'en as pas dit grand-chose, mais si tout le monde y est aussi charmant que lui…

— Je croyais que nous étions d'accord pour Trey, m'dame, observa celui-ci avec une note taquine dans la voix.

— A condition que vous m'appeliez Dee, alors, repartit la vieille dame avec un rire cristallin qui s'acheva sur une inspiration sifflante.

Meg les fixa tour à tour. S'était-elle donc absentée plusieurs années, pour que tous deux deviennent les meilleurs amis du monde en son absence ? Certes, Trey avait un charme fou, et sa tante se faisait des amis de tout le monde, mais ce n'était vraiment pas le moment !

— Pose tes paquets, Meg, invita sa tante, et viens t'asseoir avec nous.

— Je n'ai pas vraiment le temps, lui rappela-t-elle. J'ai un avion à prendre pour Cheyenne, tu le sais bien, et je suis déjà en retard.

— Voyons, Meg, ce n'est certainement pas pour me voir que Trey a fait tout ce chemin ! répliqua sa tante avec un sourire radieux à l'adresse de leur visiteur.

— Mais vous rencontrer est un plaisir de plus, répondit Trey avec un sourire charmeur.

Ce qui arracha à Dee un nouveau rire.

— Je parie que vous charmez même les serpents à sonnette de votre Texas natal, n'est-ce pas, Trey ?

Avec un soupir, Meg laissa tomber ses paquets et vint se percher sur l'accoudoir du fauteuil de sa tante, face à Trey.

— Alors, comment vont Chace et Ellie ? questionna-t-elle sans daigner le regarder.

— Bien, mais vous manquez beaucoup à Ellie.

— Trey me disait aussi à quel point tu leur avais été utile au bureau pendant ton séjour, intervint sa tante. Je lui ai dit que depuis cet article sur le ranch, tu n'étais plus secrétaire mais journaliste, désormais.

— Félicitations, complimenta Trey.

Le ton de sa voix la fit lever les yeux, et il captura son regard. Elle crut lire dans le sien plusieurs émotions mêlées, et parmi elles une nuance de fierté.

— Merci, parvint-elle tant bien que mal à répondre.

Mais ce fut tout. Le voir ici, sous son toit, était plus qu'elle n'en pouvait supporter.

Dire que quelques minutes plus tôt à peine, elle se félicitait de ne plus penser à lui à chaque seconde du jour et de la nuit ! Combien de temps cela lui prendrait-il, cette fois, d'atteindre les quinze minutes ? Deux, trois autres semaines ? Elle doutait que ce soit assez, hélas.

Un coup d'œil à sa montre la fit bondir sur ses pieds.

— Je n'y arriverai jamais ! Il me faut encore une bonne heure de voiture jusqu'à l'aéroport. Je vais manquer mon vol, je le sais. Seigneur, que faire ?

— Pourquoi ne… débuta sa tante.

— Je sais ! Je vais appeler Géraldine pour voir s'il est possible de changer la réservation, reprit-elle en se ruant sur le téléphone. Je vais sans doute devoir la payer de ma poche, mais… Géraldine Martin, s'il vous plaît, de la part de Meg Chastain.

— Un problème, Meg ? questionna sa rédactrice en chef au bout de ce qui lui parut être une éternité.

Elle tourna le dos à sa tante et à Trey, prit une profonde inspiration, puis expliqua :

— Je suis navrée, Géraldine, mais je viens de recevoir une visite inattendue, et je doute d'arriver à l'aéroport à temps.

— Je vois, répondit sa patronne. Voilà qui nous pose un problème, en effet. N'est-ce pas ?

Meg trouva cette réponse un peu sibylline.

— Que voulez-vous dire ?

Le rire de gorge un peu rauque de Géraldine Martin retentit à l'autre bout du fil.

— Eh bien, si ce visiteur surprise est le même cow-boy plutôt sexy qui est venu demander après vous un peu plus tôt, je conçois tout à fait que vous puissiez en rater votre avion.

Meg déglutit péniblement.

— Il est passé au bureau ? chuchota-t-elle à voix basse.

— Oui, juste après votre départ, confirma

Géraldine. Et je suis certaine qu'il aurait campé ici jusqu'à votre retour du Wyoming si nous ne lui avions pas donné votre adresse. Mais ne vous inquiétez pas pour la mission : Karen doit être en train de se faire enregistrer à l'aéroport à l'instant même.

— Karen ? Mais…

— Je suis certaine que votre cow-boy et vous avez beaucoup à vous dire, trancha sa rédactrice en chef. Nous parlerons de votre prochaine mission dans quelques jours.

Puis, avant qu'elle ait pu protester davantage, Géraldine raccrocha.

Prise d'une rage folle, Meg pivota lentement.

— Avez-vous la moindre idée de ce que vous avez fait ? lança-t-elle d'un ton accusateur à Trey.

— Meg, je…

— Non, je ne veux rien entendre, coupa-t-elle, les mains sur les oreilles. Savez-vous au moins combien de temps il m'a fallu pour obtenir ce poste de journaliste ?

— Longtemps ?

Elle s'apprêtait à lui préciser combien exactement lorsqu'elle vit du coin de l'œil sa tante s'approcher de la porte d'entrée.

— Où vas-tu donc ?

— Mais, à ma partie de bridge avec John et Sadie, fit mine de s'étonner Dee. Comme chaque mercredi.

— Ah, non, pas ce soir !

Dee haussa un sourcil.

— Oh, vraiment ?

Meg soupira. Elle connaissait cet air et ce ton, et elle n'ignorait pas que ni tempêter ni supplier ne l'avancerait à rien.

— Bon bridge, Dee ! lança Trey derrière elles.

Muette d'impuissance, Meg regarda sa tante franchir le seuil et refermer la porte derrière elle, la laissant seule en tête à tête avec Trey Brannigan.

La vie pouvait-elle être plus cruelle ?


Dee partie, Trey ne put s'empêcher d'effleurer le bras de Meg. Son besoin de la toucher était trop impérieux.

La jeune femme s'écarta vivement, le regard étincelant de rage.

— Je n'arrive pas à y croire. Je vais peut-être perdre mon emploi à cause de vous ! *Mon emploi !*

Trey enfonça ses mains dans ses poches pour s'empêcher de la toucher encore et pria en silence pour qu'elle l'écoute. C'était sa dernière chance. Sa seule chance.

— Revenez au *Triple B* avec moi, Meg.

— Pour être votre secrétaire ? rétorqua-t-elle avec un rire méprisant. Jamais de la vie ! J'ai enfin atteint un rêve, et aujourd'hui, je l'ai peut-être déjà perdu ! accusa-t-elle, des larmes dans les yeux. Et tante Dee aussi !

La voir dans une telle détresse le peina. Connaissant désormais Dee, il comprenait sa dévotion à l'égard de la vieille demoiselle qui l'avait élevée et aimée. Mais il n'était pas dans ses intentions de les séparer l'une de l'autre, bien au contraire.

— Je ne vous propose pas un emploi au ranch, Meg. Et j'ai eu tort d'essayer de vous forcer la main, pour l'article. De toute façon, tout le monde ne lit pas *Trail's End*, ironisa-t-il pour détendre un peu l'atmosphère.

— Je suppose, convint-elle de mauvaise grâce. Mais si vous n'êtes pas là pour me proposer un emploi ou me tirer les vers du nez, alors…

— Je suis venu vous dire que vous me manquez.

— Oh.

Etait-ce de l'indifférence, dans sa voix ? Si c'était le cas, il n'était pas certain d'être capable de continuer. Mais avait-il encore le choix ?

— A force d'entendre mes frères me rabâcher que j'étais un idiot, et de voir Ellie me bouder, j'ai fini par m'avouer quelque chose, confessa-t-il.

— Quoi ? questionna-t-elle dans un chuchotement.

— J'ai besoin de vous à mes côtés, Meg.

— Mais mon travail, et tante Dee…

Il posa un index sur ses lèvres.

— J'y ai pensé. Quel meilleur endroit que le *Triple B* pour Dee ? Les grands espaces sont l'environnement parfait pour un asthmatique. Je le sais, je me suis renseigné.

— Et tout ça pour quoi ? rétorqua Meg en repoussant sa main. Pour que je réponde au téléphone ?

Elle voulut s'écarter, mais il la retint.

Ses yeux verts scintillaient de larmes, et sa lèvre inférieure tremblait. Une fois encore, il s'y prenait mal.

— Non. Comme je vous l'ai dit, je ne vous

offre pas un emploi. Mais plutôt mon amour, Meg, avoua-t-il face à ses yeux écarquillés d'étonnement. Personne ne prendra jamais votre place dans mon cœur. Et pourtant croyez-moi, j'ai essayé. Non, pas de vous remplacer, se hâta-t-il de préciser, mais de cesser de souffrir après votre départ.

— J'en ai souffert, moi aussi.

Cet aveu toucha Trey droit au cœur, et il reprit enfin espoir.

Lui prenant la main, il l'achemina jusqu'au canapé, la fit asseoir, puis ôta son Stetson et en extirpa le T-shirt offert par Ellie, qu'il lui tendit.

— Vous l'aviez oublié. Voulez-vous m'épouser, Meg ? reprit-il après quelques secondes de silence. Voulez-vous revenir au *Triple B* avec moi et devenir ma femme ? Avec les moyens technologiques qui existent aujourd'hui, peut-être pourrez-vous convaincre votre patronne de travailler à distance ? Ça a un nom…

— Le télétravail, dit-elle, avec un sourire au travers de ses larmes. Mais même si ce n'est pas possible…

— Je veux que tu conserves tes rêves, ma chérie, coupa-t-il, parce que je passerai le reste de ma vie à les concrétiser. Si seulement tu veux bien m'épouser.

— Oh, Trey, oui ! Oui, je t'épouserai. Je t'aime tant !

Une onde de joie traversa Trey, la joie la plus pure qu'il ait jamais connue.

Il réclama les lèvres de Meg en un long, fervent baiser, et ne la relâcha que pour reprendre son souffle.

Elle lissa alors le devant du T-shirt sur ses genoux puis murmura avec un soupir :

— Ellie avait raison : mon cœur appartient à jamais au *Triple B*.

collection **Horizon**

### UN AVENIR À CONSTRUIRE, de Rebecca Winters • n°2119

Chargée par une prestigieuse chaîne de restaurants anglais de se rendre en France afin d'y acheter les meilleurs vins, Rachel tombe sous le charme de Luc Chartier, un viticulteur alsacien. Une attirance partagée, qui les conduit à vivre une intense nuit d'amour, dont Rachel mesure bientôt les lourdes conséquences : elle attend un bébé...

### LE DÉFI DU BONHEUR, de Natasha Oakley • n°2120

Tout juste embauchée chez Kingsley et Bressington, Jemima Chadwick est désemparée quand elle rencontre Miles Kingsley, son nouveau patron, un homme très sûr de lui, arrogant et séducteur, qui semble à peine la remarquer. Pourtant, Jemima n'a pas le choix : parce qu'elle a besoin de ce travail, elle réussira à s'imposer auprès de cet homme aussi autoritaire que séduisant...

### UN PAPA À AIMER, de Teresa Carpenter • n°2121

Arrivée depuis peu à Blossom, Cherry Cooper trouve cette petite ville charmante et tous ses habitants très sympathiques. Tous, sauf Jason Strong, le maire, qui lors de leur première rencontre, lui réserve le plus glacial des accueils. D'abord agacée, Cherry est vite intriguée par cet homme qui s'occupe seul de Rikki, sa fille de trois ans, depuis la mort de sa femme...

### PASSION HAWAÏENNE, de Judy Christenberry • n°2122

À la recherche de sa mère, qui s'est enfuie en compagnie d'un certain Abe Rampling, Julia Chance fait la connaissance de Nick, le fils de ce dernier. Mais la sympathie que Julia éprouve d'abord pour Nick se transforme vite en indignation quand celui-ci lui laisse entendre qu'il soupçonne sa mère de n'en vouloir qu'à la fortune de son nouveau fiancé...

Attention, numérotation des livres pour le Canada différente : n°847 au n°850.

Composé et édité par les
*éditions* Harlequin
Achevé d'imprimer en mai 2007

BUSSIÈRE
GROUPE CPI

à Saint-Amand-Montrond (Cher)
Dépôt légal : juin 2007
N° d'imprimeur : 70703 — N° d'éditeur : 12861

*Imprimé en France*